'사고력수학의 시작'

팡세

D2

4학년 │ 퍼즐과 전략

사고가 자라는 수학

씨투엠

사고력 수학을 묻고
팡세가 답해요

Q: 사고력 수학은 '왜' 해야 하나요?

사고력 수학은 아이에게 낯선 문제를 접하게 함으로써 여러 가지 문제 해결 방법을 아이 스스로 생각하게 하는 것에 목적이 있어요. 정석적인 한 가지 풀이법만 알고 있는 아이는 결국 중등 이후에 나오는 응용 문제에 대한 해결력이 현저히 떨어지게 되지요. 반면 사고력 수학을 통해 여러 가지 풀이법을 스스로 생각하고 알아낸 경험이 있는 아이들은 한 번 막히는 문제도 다른 방법으로 뚫어낼 힘이 생기게 된답니다. 이러한 힘을 기르는 데 있어 사고력 수학이 가장 크게 도움이 된다고 확신해요.

Q: 사고력 수학이 '필수'인가요?

No but Yes! 초등 수학에서 가장 필수적인 것은 교과와 연산이지요. 또 중등에서의 서술형 평가를 대비하기 위한 서술형 학습과 어려운 중등 도형을 헤쳐나가기 위한 도형 학습 정도를 추가하면 돼요. 사고력 수학은 그 다음으로 중요하다고 할 수 있어요. 다만 만약 중등 이후에도 상위권을 꾸준하게 유지하겠다고 하시면 사고력 수학은 필수랍니다.

Q: 사고력 수학, 꼭 '어려운' 문제를 풀어야 하나요?

No! 기존의 사고력 수학 교재가 어려운 이유는 영재교육원 입시 때문이었어요. 상위권 중에서도 더 잘하는 아이, 즉 영재를 골라내는 시험에 사고력수학 문제가 단골로 출제되었고, 이에 대비하기 위해 만들어진 것이 초창기 사고력 수학 교재이지요. 하지만 모든 아이들이 영재일 수는 없고, 또 그래야할 필요도 없어요. 사고력 수학으로 영재를 확실하게 선별할 수 있는 것도 아니에요. 따라서 사고력 수학의 원래 목적, 즉 새로운 문제를 풀 수 있는 능력만 기를 수 있다면 난이도는 중요하지 않답니다. 오히려 어려운 문제는 수학에 대한 아이들의 자신감을 떨어뜨리는 부작용이 있다는 점! 반드시 기억해야 해요.

Q: 사고력 수학 학습에서 어떤 점에 '유의'해야 할까요?

가장 중요한 것은 아이가 스스로 방법을 생각할 수 있는 시간을 충분히 주는 거예요. 엄마나 선생님이 옆에서 방법을 바로 알려주거나 해답지를 줘버리면 사고력 수학의 효과는 없는 거나 마찬가지랍니다. 설령 문제를 못 풀더라도 아이가 스스로 고민하는 습관을 가지고, 방법을 찾아가는 시간을 늘리는 것이 아이의 문제해결력과 집중력을 기르는 방법이라고 꼭 새기며 아이가 스스로 발전할 수 있는 가능성을 믿어 보세요.

또 하나 더 강조하고 싶은 것은 문제의 답을 모두 맞힐 필요가 없다는 거예요. 사고력 수학 문제를 백점 맞는다고 해서 바로 성적이 쑥쑥 오르는 것이 아니에요. 사고력 수학은 훗날 아이가 더 어려운 문제를 풀기 위한 수학적 힘을 기르는 과정으로 봐야 하는 거지요. 그러니 아이가 하나 맞히고 틀리는 것에 일희일비하지 말고 우리 아이가 문제를 어떤 방법으로 풀려고 했고, 왜 어려워 하는지 표현하게 하는 것이 훨씬 중요하답니다. 사고력 수학은 문제의 결과인 답보다 답을 찾아가는 과정 그 자체에 의미가 있다는 사실을 꼭! 꼭! 기억해 주세요.

팡세의 구성과 특징

1. 패턴, 퍼즐과 전략, 유추, 카운팅 - 새로운 시대에 맞는 새로운 사고력 영역!

2. 아이가 혼자서도 술술 풀어나가며 자신감을 기르기에 딱 좋은 난이도!

3. 하루 10분 1장만 풀어도 초등에서 꼭 키워야 하는 사고력을 쑥쑥!

일일 소주제 학습

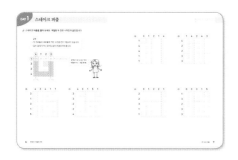

하루에 10분씩 매일 1장씩만 꾸준히 풀면 돼.

주차별 확인학습

5일 동안 배운 것 중 가장 중요한 문제를 복습하는 거야!

월간 마무리 평가

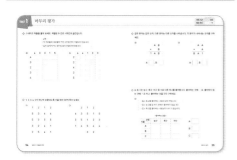

4주 동안 공부한 내용 중 어디가 부족한지 알 수 있다. 삐리삐리~

이 책의 차례

D2

pensées

논리 퍼즐

스네이크 퍼즐

스네이크 퍼즐을 풀어 보세요. 색칠된 두 칸은 시작칸과 끝칸입니다.

규칙

• 각 가로줄과 세로줄에 적힌 수만큼 칸이 색칠되어 있습니다.

• 길이 갈라지거나 끊어짐 없이 연결되어야 합니다.

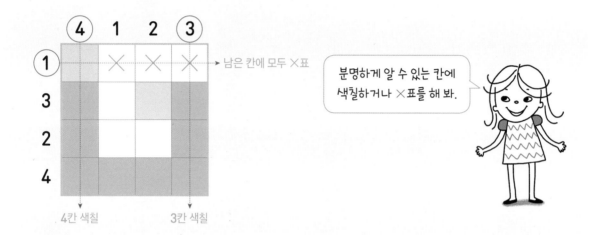

남은 칸에 모두 ×표

4칸 색칠   3칸 색칠

분명하게 알 수 있는 칸에
색칠하거나 ×표를 해 봐.

❶
	4	3	4	1	1
3					
1					
3					
1					
5					

❷
	4	3	1	5	1
3					
3					
2					
2					
4					

❸

	3	1	2	1	4
1					
4					
4					
1					
1					

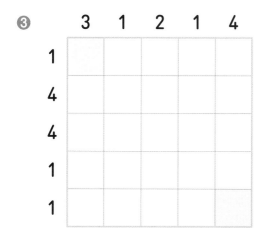

❹

	1	4	2	4	3
4					
2					
2					
3					
3					

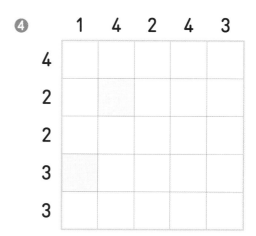

❺

	3	1	2	2	1
2					
2					
3					
1					
1					

❻

	0	3	3	1	5
1					
3					
2					
3					
3					

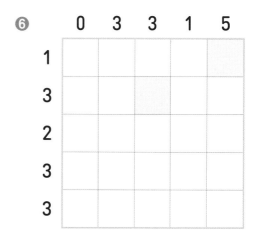

노노그램

노노그램 퍼즐을 풀어 보세요.

규칙

• 각 가로줄과 세로줄에 적힌 수만큼 칸이 색칠되어 있습니다.

• 수만큼 연속으로 색칠해야 합니다.

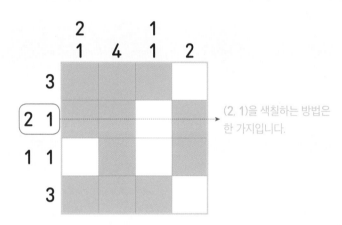

(2, 1)을 색칠하는 방법은 한 가지입니다.

(2, 1)은 연속으로 2칸을 색칠한 후 최소 한 칸 띄어서 1칸을 색칠하라는 뜻이야.

❶

	1	3	2	4
1				
3				
4				
1 1				

❷

	1 1	3	2	2 1
1 1				
1 1				
3				
3				

❸

	5	1 1 1	5	1 1	3
5					
1 1 1					
5					
1 1					
3					

❹

	1	5	1 1	2 1	1 1
5					
1 1					
1					
1					
4					

❺

	1 2	3	1	5	1
2 1					
1 1					
3					
1 1					
1 2					

❻

	3	1 1 1	1 1	3 1	2
1 1					
2					
5					
1					
4					

조각난 사각형

주어진 칸 수로 사각형이 만들어지도록 나누어 보세요.

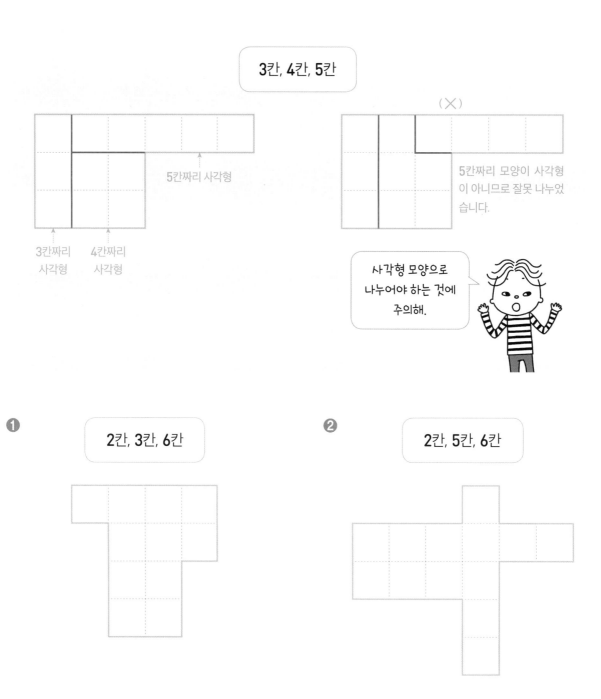

3칸, 4칸, 5칸

5칸짜리 사각형

3칸짜리 사각형   4칸짜리 사각형

(×)

5칸짜리 모양이 사각형이 아니므로 잘못 나누었습니다.

사각형 모양으로 나누어야 하는 것에 주의해.

❶ 2칸, 3칸, 6칸

❷ 2칸, 5칸, 6칸

❸ 4칸, 6칸, 8칸

❹ 1칸, 2칸, 4칸, 5칸

❺ 2칸, 2칸, 4칸, 6칸

❻ 2칸, 3칸, 4칸, 5칸

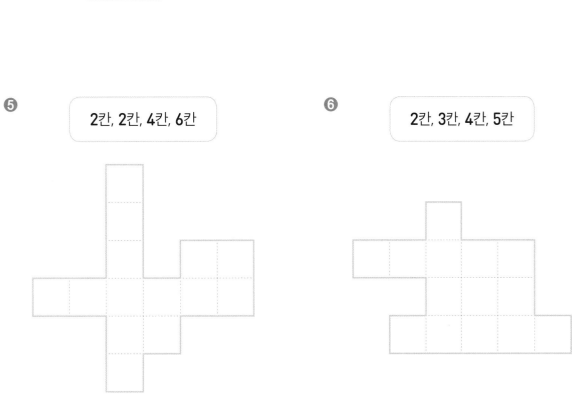

시카쿠 퍼즐

✏️ 시카쿠 퍼즐을 풀어 보세요.

규칙

• 적힌 수의 칸만큼 사각형을 그립니다.

• 칸이 남거나 겹치지 않아야 합니다.

10을 포함한 사각형은
1가지뿐이야.

	3		
		5	
	10		
			6

❶

6			
	6		
	4	8	

❷

2			
	6		
		9	
		3	4

❸

	2		6
	3		
		4	
5	2		2

❹

	6		
			3
	6		
			2
4			
			3

❺

	2		2
			3
		3	
5			
			4
	5		

❻

6		3	
3			4
		8	

📏 펜스 퍼즐을 풀어 보세요.

> **규칙**
> • 수는 그 칸을 둘러싼 선의 개수입니다.
> • 선은 끊어지지 않으며 하나의 도형이 만들어져야 합니다.

선이 3개 둘러
싸여야 합니다. →

1	2	3
3	1	2
2	3	2

하나의 고리 모양으로
도형이 만들어져야 해.

❶

1	3	2
0	3	2
1	3	2

❷

3	3	3
2	2	1
1	2	3

❸

2	2	3
3	1	3
2	2	3

❹

1	1	3
3	3	2
2	2	2

❺

2	3	1
3	1	1
2	3	1

❻

2	2	2
2	1	2
1	2	3

확인학습

✏️ 시카쿠 퍼즐을 풀어 보세요.

규칙
- 적힌 수의 칸만큼 사각형을 그립니다.
- 칸이 남거나 겹치지 않아야 합니다.

❶
8			
	4		3
		3	
	4		
		2	

❷
2			
			9
		3	
		4	2
4			

✏️ 펜스 퍼즐을 풀어 보세요.

규칙
- 수는 그 칸을 둘러싼 선의 개수입니다.
- 선은 끊어지지 않으며 하나의 도형이 만들어져야 합니다.

❸
3	1	3
2	2	2
1	3	1

❹
2	2	2
3	0	2
2	3	2

배치 퍼즐

큰 수 배치

✏️ ○ 안의 수는 그 줄에 놓인 수 중 가장 큰 수를 나타낸 것입니다. 빈칸에 1부터 9까지의 수가
한 번씩 오도록 모두 써넣으세요.

1	2	5	➡ 5
3	8	6	➡ 8
7	4	9	➡ 9

⬇ 7 ⬇ 8 ⬇ 9

한 칸만 비어 있는
줄부터 확인해 보자.

❶

1		4	➡ 5
3		6	➡ 9
			➡ 8

⬇ 3 ⬇ 9 ⬇ 7

❷

3		1	➡ 4
2		7	➡ 7
			➡ 9

⬇ 6 ⬇ 8 ⬇ 9

③

1		2	➡ ⑦
			➡ ⑧
	6	4	➡ ⑨

⬇ ⑨ ⬇ ⑦ ⬇ ④

④

5		3	➡ ⑦
			➡ ⑧
2		1	➡ ⑨

⬇ ⑧ ⬇ ⑨ ⬇ ④

⑤

			➡ ⑨
7		5	➡ ⑦
1		2	➡ ④

⬇ ⑧ ⬇ ⑨ ⬇ ⑤

⑥

4	6		➡ ⑧
1		3	➡ ⑤
			➡ ⑨

⬇ ④ ⬇ ⑨ ⬇ ⑧

점점 크게

✏️ 규칙에 맞게 빈칸에 알맞은 수를 써넣으세요.

> **규칙**
> • → 방향으로 **2**씩 커지고, ↑ 방향으로 **1**씩 커집니다.
> • 가장 작은 수는 **3**입니다.

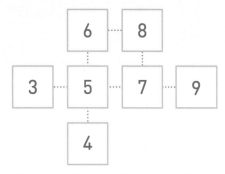

왼쪽으로 갈수록, 아래로 갈수록 수가 작아집니다.

먼저 가장 작은 수가 어디에 들어가야 하는지 알아봐.

❶
> **규칙**
> • → 방향으로 **2**씩 커지고, ↑ 방향으로 **1**씩 커집니다.
> • 가장 작은 수는 **5**입니다.

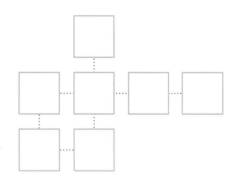

❷
> **규칙**
> • → 방향으로 **2**씩 커지고, ↑ 방향으로 **1**씩 커집니다.
> • 가장 큰 수는 **11**입니다.

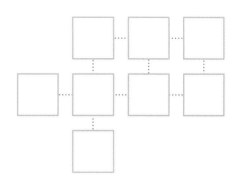

❸
규칙
• → 방향으로 **2**씩 커지고, ↑방향
  으로 **3**씩 커집니다.
• 가장 작은 수는 **4**입니다.

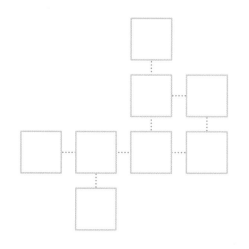

❹
규칙
• → 방향으로 **2**씩 커지고, ↑방향
  으로 **3**씩 커집니다.
• 가장 큰 수는 **17**입니다.

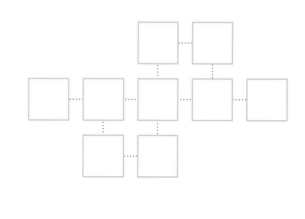

❺
규칙
• → 방향으로 **1**씩 커지고, ↑방향
  으로 **3**씩 커집니다.
• 가장 작은 수는 **2**입니다.

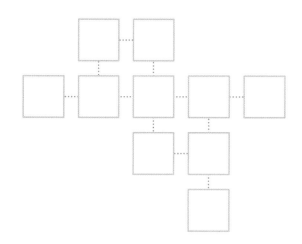

❻
규칙
• → 방향으로 **3**씩 커지고, ↑방향
  으로 **1**씩 커집니다.
• 가장 큰 수는 **16**입니다.

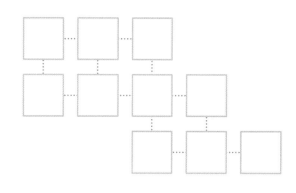

숫자 나누기

✎ 1, 2, 3, 4가 하나씩 포함되도록 선을 따라 4칸씩 묶어 보세요.

3	3	4	1
2	4	3	2
1	3	4	2
1	4	2	1

숫자가 같으므로 반드시
나누어져야 합니다.

같은 수가 이웃한 칸은
반드시 나누어져야 해.

❶

3	3	1	4
2	2	1	4
4	1	2	3
2	1	4	3

❷

1	4	1	3
2	1	1	2
3	4	3	4
2	3	2	4

1, 2, 3, 4, 5가 하나씩 포함되도록 선을 따라 5칸씩 묶어 보세요.

❸

2	1	3	2
5	1	4	5
3	2	4	4
3	3	5	1
2	5	4	1

❹

	2	1	5	4
4	3	3	2	5
2	5	1	1	3
	2	5	4	
		3	4	
		1		

❺

5	2	1	2	4
4	3	3	1	5
3	5	1	1	5
2	2	5	4	2
1	4	3	3	4

❻

4	4	5	3	
1	1	3	2	
2	1	4	5	3
5	3	2	2	5
	3	5	4	4
		2	1	1

✏️ 가로줄, 세로줄, 굵은 선으로 묶인 칸에 1부터 4까지의 수가 한 번씩 들어가도록 스도쿠 퍼즐을 풀어 보세요.

4	① 2	3	1
→ 1	3	2	4
2	4	1	3
3	1	5	2

가로줄에 2가 있으므로 이 칸에는 2가 올 수 없습니다.
따라서 ①에 2가 들어갑니다.

이와 같은 규칙의 퍼즐을
스도쿠 퍼즐이라고 해.

❶

	2	1	
4			2
		2	
2	3		1

❷

3			4
		3	
	2		
1		4	

❸

1			3
		4	1
3			
4		3	

❹

1		4	
			3
	1		4
2		3	

❺

2			1
		3	
			4
4	1		

❻

	3	4	
	4		2
4		1	

펜토미노 스도쿠

🖊 가로줄, 세로줄, 굵은 선으로 묶인 칸에 1부터 5까지의 수가 한 번씩 들어가도록 스도쿠 퍼즐을 풀어 보세요.

1	① 4	2	5	3
3	1	5	4	2
5	2	3	1	4
2	5	4	3	1
4	3	1	2	5

세로줄에 **4**가 있으므로 화살표의 두 칸에는 **4**가 올 수 없습니다.
따라서 굵은 선으로 묶인 칸 중 남는 ①에 **4**가 들어갑니다.

정사각형 다섯 개를 이어 붙인
도형을 펜토미노라고 해.
왼쪽 문제는 펜토미노를 이용하여
만든 스도쿠 퍼즐이지.

❶

				3
	1		5	3
5		4		2
3	5			4
	2		4	5

❷

1			4	3
	3	4		
3		1		5
4			3	
2		3		4

③

5				4
	2	3		1
3		4		5
	5	1	4	3
1				

④

	3	5	1	
3				2
5	4		2	
		2	4	3
	2	1		

⑤

4	1		5	
2				
	3	4		
				4
	4		1	5

⑥

2			3	1
4				1
	3		4	5
5			2	3

✏️ 규칙에 맞게 빈칸에 알맞은 수를 써넣으세요.

❶ · 규칙 ·
- → 방향으로 **1**씩 커지고, ↑방향으로 **3**씩 커집니다.
- 가장 작은 수는 **3**입니다.

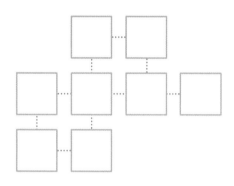

❷ · 규칙 ·
- → 방향으로 **1**씩 커지고, ↑방향으로 **2**씩 커집니다.
- 가장 큰 수는 **14**입니다.

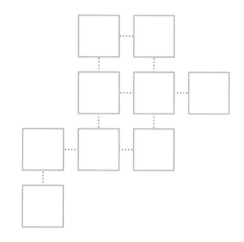

✏️ 가로줄, 세로줄, 굵은 선으로 묶인 칸에 1부터 5까지의 수가 한 번씩 들어가도록 스도쿠 퍼즐을 풀어 보세요.

❸

		1	2	4
3	5			
4				
	2	5		3
	4		5	1

❹

5				
	3		2	
	1			2
3		2		4
	4		5	

복면산과 벌레 먹은 셈

3
주차

두 수의 덧셈 복면산

✏️ 같은 문자는 같은 숫자, 다른 문자는 다른 숫자를 나타냅니다. 각 문자가 나타내는 숫자를 구하세요.

숫자의 일부 또는 전부를 문자나 모양으로 나타낸 계산식을 마치 복면을 쓴 모양과 같다고 하여 복면산이라고 합니다.

복면산을 풀 때에는 문자가 나타내는 숫자를 예상한 후 풀어야 하며, 특히 가장 높은 자리 숫자부터 생각하면 문제 해결이 되는 경우가 많습니다.

$$\begin{array}{ccc} & A & B \\ + & B & A \\ \hline A & A & C \end{array}$$

받아올림을 생각하면
문제 해결의 실마리가 보일 수 있어.
또 가장 높은 자리 숫자는
0이 올 수 없는 것도 주의해.

A: 1 , B: 9 , C: 0

① (두 자리 수)+(두 자리 수)=(세 자리 수)이므로 A=1
② 십의 자리 계산에서 B=9
③ 일의 자리 계산에서 C=0

❶

$$\begin{array}{ccc} & 1 & B \\ + & A & 9 \\ \hline & 7 & A \end{array}$$

A: ☐ , B: ☐

❷

$$\begin{array}{ccc} & A & B \\ + & & B \\ \hline & B & A \end{array}$$

A: ☐ , B: ☐

❸
```
    A  B
+   B  B
─────────
    6  A
```

A: ☐ , B: ☐

❹
```
    A  B
+   C  A
─────────
    A  B  A
```

A: ☐ , B: ☐ , C: ☐

❺
```
    A  B
+   A  A
─────────
    C  C  C
```

A: ☐ , B: ☐ , C: ☐

❻
```
    A  A
+   B  C
─────────
    B  B  B
```

A: ☐ , B: ☐ , C: ☐

세 수의 덧셈 복면산

📝 같은 문자는 같은 숫자, 다른 문자는 다른 숫자를 나타냅니다. 각 문자가 나타내는 숫자를 구하세요.

```
      A
      A
+  B  A
─────────
   C  D  A
```

수가 더 많아졌다고 해서
어려운 것은 아니야.
두 수의 복면산과
구하는 방법은 똑같아.

A: 5 , B: 9 , C: 1 , D: 0

① 계산 결과에 백의 자리가 있으므로 십의 자리에서 받아올림된 것입니다. C = 1
② 일의 자리 계산에서 A는 0 또는 5가 될 수 있지만 A가 0이면 결과가 세 자리 수가 될 수 없습니다. A = 5
③ 십의 자리 계산에서 B = 9, D = 0

❶
```
      A
      A
+  A  A
─────────
   B  8
```

A: ☐ , B: ☐

❷
```
      A
      A
+  A  B
─────────
   B  B
```

A: ☐ , B: ☐

❸

```
    A  A
    B  B
 +  C  3
─────────
 A  B  3
```

A: ☐ , B: ☐ , C: ☐

❹

```
    A  B
    B  B
 +  C  C
─────────
 A  B  C
```

A: ☐ , B: ☐ , C: ☐

❺

```
    A  A
    A  B
 +  C  A
─────────
 A  A  A
```

A: ☐ , B: ☐ , C: ☐

❻

```
    A  B
    A  B
 +  A  B
─────────
 C  A  A
```

A: ☐ , B: ☐ , C: ☐

곱셈 복면산

같은 문자는 같은 숫자, 다른 문자는 다른 숫자를 나타냅니다. 각 문자가 나타내는 숫자를 구하세요.

$$
\begin{array}{r}
9\,A \\
\times\ \ 6 \\
\hline
B\,B\,A
\end{array}
$$

A: 2 , B: 5

① 계산 결과의 백의 자리, 십의 자리에서 B가 될 수 있는 수는 5입니다.
② 일의 자리 계산에서 A = 2

A와 B에 수를 하나씩 넣어서 올바른 식을 만들 수 있는지 확인해.

❶

$$
\begin{array}{r}
A\,7 \\
\times\ \ A \\
\hline
B\,B\,B
\end{array}
$$

A: ☐ , B: ☐

❷

$$
\begin{array}{r}
A\,A \\
\times\ \ A \\
\hline
2\,B\,A
\end{array}
$$

A: ☐ , B: ☐

❸
```
    A A
×     6
───────
  1 B A
```
A: ☐ , B: ☐

❹
```
    A 7
×     B
───────
  A A A
```
A: ☐ , B: ☐

❺
```
    A A A
×       2
─────────
  1 B B 4
```
A: ☐ , B: ☐

❻
```
    A B 7
×       A
─────────
    C 7 C
```
A: ☐ , B: ☐ , C: ☐

벌레 먹은 곱셈

✏️ ☐ 안에 알맞은 수를 써넣으세요.

벌레 먹은 셈은 숫자의 일부 또는 전부가 지워져 보이지 않는 계산식을 뜻하며, 식이 지워진 모습이 마치 벌레가 종이를 먹은 모양과 같다고 하여 붙여진 이름입니다.

$$
\begin{array}{r}
\boxed{5}\ \ 3 \\
\times \quad\ \boxed{8} \\
\hline
4\ \ \boxed{2}\ \ 4
\end{array}
$$

곱셈식은 곱의 일의 자리 숫자와 받아올림에 주의하도록 해.

① 3×☐의 계산 결과의 일의 자리 숫자가 4이므로 곱하는 수는 8입니다.

② 계산 결과의 백의 자리 숫자가 4이므로 받아올림을 생각하여 남은 ☐ 안에 알맞은 수를 써넣습니다.

❶
$$
\begin{array}{r}
4\ \ \boxed{} \\
\times \quad\ 3 \\
\hline
\boxed{}\ \boxed{}\ 9
\end{array}
$$

❷
$$
\begin{array}{r}
8\ \ 2 \\
\times \quad\ \boxed{} \\
\hline
3\ \ \boxed{}\ 8
\end{array}
$$

❸
$$
\begin{array}{r}
1\ \ 6\ \ 8 \\
\times \qquad\ \boxed{} \\
\hline
1\ \ \boxed{}\ 4\ \ 4
\end{array}
$$

4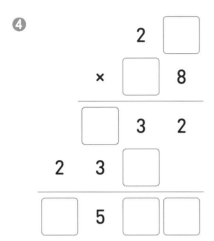

5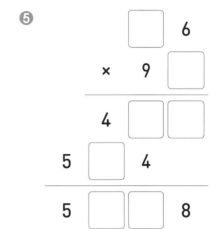

6

```
      9  □
   ×  □  9
   ─────────
   □  7  □
   9  □
   ─────────
   □  8  □  □
```

7

```
      □  3
   ×  7  □
   ─────────
   □  □  7
   □  □
   ─────────
   □  □  □  □
```

벌레 먹은 나눗셈

✎ ☐ 안에 알맞은 수를 써넣으세요.

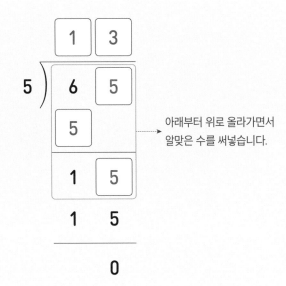

아래부터 위로 올라가면서
알맞은 수를 써넣습니다.

완성된 식이 올바른지
확인해 보도록 하자.

❶

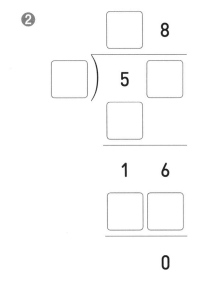

❷

❸

```
        □ □
    ┌─────────
  □ │ 5 □ □
    │ □ 9
    ├─────────
    │   3 □
    │   □ 5
    ├─────────
    │     0
```

❹

```
        □ □
    ┌─────────
  6 │ 2 □ 8
    │ □ □
    ├─────────
    │   1 □
    │   □ □
    ├─────────
    │     0
```

❺

```
      1 □ 2
    ┌─────────
  □ │ □ □ □
    │ □
    ├─────────
    │ 1 □
    │ □ 2
    ├─────────
    │     □
    │     8
    ├─────────
    │     0
```

❻

```
      □ 1 □
    ┌─────────
  6 │ 6 □ □
    │ □
    ├─────────
    │   □
    │   □
    ├─────────
    │   □ □
    │   2 □
    ├─────────
    │     0
```

같은 문자는 같은 숫자, 다른 문자는 다른 숫자를 나타냅니다. 각 문자가 나타내는 숫자를 구하세요.

❶
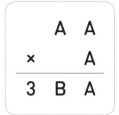

A: ☐ , B: ☐

❷

A: ☐ , B: ☐

☐ 안에 알맞은 수를 써넣으세요.

❸
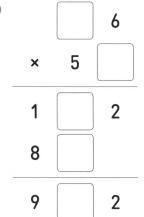

❹
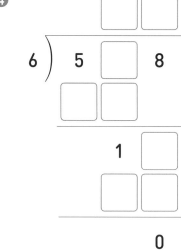

연역 추리

3단 연역표

✎ A, B, C는 다음 세 가지 중 서로 다른 하나를 좋아합니다. 좋아하는 것에 ◯표, 좋아하지 않는 것에 ✕표 하고, 좋아하는 것을 각각 구하세요.

> • A는 야구를 좋아하는 사람보다 나이가 어립니다.
> • 축구를 좋아하는 사람은 A의 옆집에 삽니다.
> • C는 축구를 좋아하지 않습니다.

야구   축구

테니스

<좋아하는 운동>

이름 \ 운동	야구	축구	테니스
A	✕	✕	◯
B	✕	◯	✕
C	◯	✕	✕

첫 번째, 두 번째 조건에서
A는 야구, 축구를 좋아하지
않음을 알 수 있어.

A: 테니스 , B: 축구 , C: 야구

❶
> • A와 C는 강아지를 좋아하는 사람과 성별이 다릅니다.
> • A는 원숭이를 좋아하는 사람과 같은 학원에 다닙니다.

강아지   고양이

원숭이

<좋아하는 동물>

이름 \ 동물	강아지	고양이	원숭이
A			
B			
C			

A:

B:

C:

❷
- **B**는 검은색을 좋아하는 사람보다 키가 큽니다.
- **C**는 빨간색, 검은색을 좋아하는 사람보다 한 살 많습니다.

빨간색   초록색

검은색

<좋아하는 색깔>

이름 \ 색깔	빨간색	초록색	검은색
A			
B			
C			

A: ☐

B: ☐

C: ☐

❸
- 오늘 **A**는 기타를 좋아하는 사람과 도서관을 갔고, **B**는 집에만 있었습니다.
- **B**는 드럼을 좋아하는 학생보다 달리기가 빠릅니다.

드럼   피아노

기타

<좋아하는 악기>

이름 \ 악기	드럼	피아노	기타
A			
B			
C			

A: ☐

B: ☐

C: ☐

✏️ A, B, C, D는 다음 네 가지 중 서로 다른 하나를 좋아합니다. 표를 직접 만들어 보고, 좋아하는 것을 각각 구하세요.

- **A**는 사과를 좋아하는 사람과 다른 반입니다.
- **B**는 바나나를 좋아합니다.
- **C**는 포도, 사과를 좋아하는 사람과 같은 학원을 다닙니다.

바나나　　포도

망고　　사과

<좋아하는 과일>

이름＼과일	바나나	포도	망고	사과
A	✕	◯	✕	✕
B	◯	✕	✕	✕
C	✕	✕	◯	✕
D	✕	✕	✕	◯

A: 포도

B: 바나나

C: 망고

D: 사과

❶
- **A**는 가을을 좋아합니다.
- **C**는 어제 봄을 좋아하는 사람과 전화 통화를 했습니다.
- **C**와 **D**는 여름을 좋아하는 사람과 축구를 했습니다.

봄　　여름

가을　　겨울

<좋아하는 계절>

A:

B:

C:

D:

❷

- **A**는 국어, 미술을 좋아하는 사람과 같이 숙제를 했습니다.
- **B**는 음악, 체육을 좋아하는 사람보다 키가 큽니다.
- **C**는 국어를 좋아하는 사람 옆집에 삽니다.
- **D**는 음악을 좋아합니다.

국어   미술

음악   체육

<좋아하는 과목>

A:

B:

C:

D:

❸

- **A**는 태권도를 좋아합니다.
- **B**, **C**와 야구를 좋아하는 사람은 어제 놀이 공원에 갔습니다.
- **B**, **D**와 농구를 좋아하는 사람은 같은 반입니다.

야구   농구

태권도   수영

<좋아하는 운동>

A:

B:

C:

D:

다양하게 배치하기

✏️ A, B, C, D, E, F의 위치는 다음 여섯 개 자리 중 하나입니다. 위치에 맞게 ☐ 안에 이름을 써넣으세요.

> • A의 왼쪽에 B가 있고, 오른쪽에 C가 있습니다.
>
> • 가장 왼쪽에 E가 있고, 가장 오른쪽에 D가 있습니다.
>
> • F의 왼쪽에는 3명 있습니다.

위치를 확실히 알 수 있는 두 번째, 세 번째 조건을 먼저 생각해 봐.

| E | B | A | F | C | D |

첫 번째 조건에서 **B – A – C**의 순서대로 있음을 알 수 있습니다. 하지만 바로 옆에 있다는 뜻이 아님에 주의합니다.

❶

> • A의 왼쪽에 D가 있습니다.
>
> • E는 D와 가장 멀리 떨어져 있습니다.
>
> • F의 오른쪽에는 2명 있고, 위에는 1명 있습니다.
>
> • B 바로 아래에 C가 있습니다.

☐ ☐ ☐
☐ ☐ ☐

❷
- **A**와 **D**는 떨어져 있습니다.
- **E**와 **F** 사이에는 **C**만 있습니다.
- **F**는 **A**의 바로 오른쪽에 있습니다.

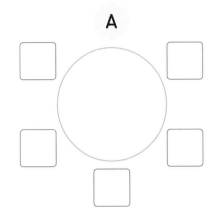

❸
- 가로줄로 **B**는 **E**와 **F** 사이에 있습니다.
- **A**는 **E**와 **B** 위에 있고, **C** 아래에 있습니다.
- **F**는 가장 왼쪽에 있습니다.

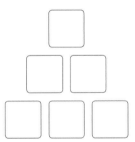

순서 정하기

✎ A, B, C, D, E, F 6명이 있습니다. 조건에 맞게 ☐ 안에 이름을 써넣으세요.

> · A는 B보다 크지만 F보다 작습니다.   F > A > B
>
> · C는 D보다 크고, D는 F보다 큽니다.   C > D > F
>
> · E는 B보다 작습니다.   B > E

첫 번째, 두 번째 조건에 모두 있는 F를 기준으로 순서를 정해 봐.

<키가 큰 순서>

크다 C D F A B E 작다

---

①

> · A는 B보다 나이가 어리고, C보다 나이가 많습니다.
>
> · C는 E보다 두 살 많은 친언니입니다.
>
> · F는 세 번째로 나이가 많습니다.
>
> · D는 고등학생이고, B는 중학생입니다.

<나이 순서>

많다 ☐ ☐ ☐ ☐ ☐ ☐ 적다

❷

- **A**는 **D**보다 수학 점수가 높습니다.
- **B**의 수학 점수는 **F**보다 높지만, **C**보다 낮습니다.
- 수학 점수가 **A**는 **90**점, **F**는 **92**점입니다.
- **E** 혼자 수학 점수를 만점 받았습니다.

<수학 점수 순서>

❸

- **E**는 **F**보다 일찍 도착했습니다.
- **D**는 **F**보다 늦게 도착했지만 **A**보다 일찍 도착했습니다.
- **D**보다 일찍 도착한 사람은 **3**명이고, **B**가 가장 늦게 도착했습니다.
- **E**는 가장 먼저 도착하지 않았습니다.

<도착 순서>

단서 보고 찾아보기

✏️ A, B, C, D, E 5명이 있습니다. 조건에 맞게 표를 완성하세요.

- 5명이 태어난 달은 4, 7, 8, 10, 12월 중 서로 다른 달입니다.
- A는 짝수 달에 태어나지 않았습니다.
- C가 태어난 달은 3으로 나누어떨어집니다.
- E는 생일이 B보다 빠르지만 D보다 느립니다.

확실하게 알 수 있는 것부터 구하도록 해.

태어난 달	4월	7월	8월	10월	12월
이름	D	A	E	B	C

두 번째, 세 번째 조건에서 A는 7월, C는 12월입니다.
네 번째 조건에서 D, E, B의 순서로 생일이 빠릅니다.

❶
- 5명의 몸무게는 27 kg, 28 kg, 31 kg, 34 kg, 38 kg 중 서로 다른 하나입니다.
- A와 C의 몸무게의 일의 자리 숫자는 8입니다.
- C와 D의 몸무게 차이는 1 kg입니다.
- E의 몸무게는 짝수입니다.

몸무게	27 kg	28 kg	31 kg	34 kg	38 kg
이름					

❷
- 5명의 등번호는 **9**, **10**, **12**, **17**, **22** 중 서로 다른 하나입니다.
- **D**의 등번호는 **4**로 나누었을 때 나머지가 **2**인 수입니다.
- **A**의 등번호는 일의 자리 숫자와 십의 자리 숫자가 같은 수입니다.
- **B**의 등번호는 짝수입니다.
- **C**의 등번호는 **E**의 등번호보다 작은 수입니다.

등번호	9	10	12	17	22
이름					

❸
- 5명의 공 던지기 기록은 **24 m**, **26 m**, **31 m**, **34 m**, **36 m**입니다.
- **E**는 **A**보다 **5 m** 더 멀리 던졌습니다.
- **C**의 기록의 십의 자리 숫자와 일의 자리 숫자의 합은 **8**입니다.
- **B**의 기록은 **2**로 나누어도, **3**으로 나누어도 나누어떨어집니다.

기록	24 m	26 m	31 m	34 m	36 m
이름					

✏️ A, B, C, D, E, F 6명이 있습니다. 몸무게가 무거운 순서대로 □ 안에 이름을 써넣으세요.

1

- A는 B보다 무겁고, B는 C보다 무겁습니다.
- D는 C보다 가볍지만 E보다 무겁습니다.
- F는 A보다 무겁습니다.

<몸무게가 무거운 순서>

무겁다 □ □ □ □ □ □ 가볍다

✏️ A, B, C, D, E 5명이 있습니다. 5명의 키는 138 cm, 141 cm, 143 cm, 151 cm, 153 cm 중 서로 다른 하나입니다. 조건에 맞게 표를 완성하세요.

2

- A와 C의 키에는 숫자 4가 들어갑니다.
- C와 D의 키 차이는 8 cm입니다.
- E의 키는 짝수입니다.

키	138 cm	141 cm	143 cm	151 cm	153 cm
이름					

마무리 평가

마무리 평가는 앞에서 공부한 4주차의 유형이 다음과 같은 순서로 나와요.
틀린 문제는 몇 주차인지 확인하여 반드시 다시 한 번 학습하도록 해요.

1 주차	**3** 주차
2 주차	**4** 주차

❖ 스네이크 퍼즐을 풀어 보세요. 색칠된 두 칸은 시작칸과 끝칸입니다.

> **규칙**
> • 각 가로줄과 세로줄에 적힌 수만큼 칸이 색칠되어 있습니다.
> • 길이 갈라지거나 끊어짐 없이 연결되어야 합니다.

❶

	4	3	3	1	5
4					
3					
2					
3					
4					

❷

	4	4	1	3	3
2					
2					
4					
2					
5					

❖ 1, 2, 3, 4, 5가 하나씩 포함되도록 선을 따라 5칸씩 묶어 보세요.

❸

1	2	1	2
5	3	4	4
5	3	3	5
3	2	4	1
2	5	4	1

❹

	2	1	2	
4	3	5	1	5
3	5	1	2	3
1	4	5	4	4
	3	2		

❖ 같은 문자는 같은 숫자, 다른 문자는 다른 숫자를 나타냅니다. 각 문자가 나타내는 숫자를 구하세요.

❺

```
    A  B
×      B
─────────
 1  A  B
```

A: ☐ , B: ☐

❻

```
    A  A
×      A
─────────
 B  A  1
```

A: ☐ , B: ☐

❖ A, B, C는 농구, 축구, 야구 중 서로 다른 하나를 좋아합니다. 좋아하는 것에 ○표, 좋아하지 않는 것에 ✕표 하고, 좋아하는 것을 각각 구하세요.

❼

- A는 축구를 좋아하는 사람과 같은 반입니다.
- C는 농구를 잘 하지 못해서 좋아하지 않습니다.
- C는 축구를 좋아하는 사람보다 나이가 많습니다.

<좋아하는 운동>

이름 \ 운동	농구	축구	야구
A			
B			
C			

A: ☐

B: ☐

C: ☐

🔹 노노그램 퍼즐을 풀어 보세요.

규칙
- 각 가로줄과 세로줄에 적힌 수만큼 칸이 색칠되어 있습니다.
- 수만큼 연속으로 색칠해야 합니다.

❶

	1 1 1	1 1 1	1 1 1	3 1	4
3					
2					
5					
1					
5					

❷

	1 2	2 1	1	5	2 1
1 2					
1 2					
3					
1 1					
2 2					

🔹 ◯ 안의 수는 그 줄에 놓인 수 중 가장 큰 수를 나타낸 것입니다. 빈칸에 1부터 9까지의 수가 한 번씩 오도록 모두 써넣으세요.

❸

1	5		➡ 6
2			➡ 9
		7	➡ 8

⬇ 3   ⬇ 9   ⬇ 7

❹

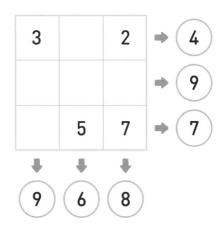

3		2	➡ 4
			➡ 9
	5	7	➡ 7

⬇ 9   ⬇ 6   ⬇ 8

❖ 같은 문자는 같은 숫자, 다른 문자는 다른 숫자를 나타냅니다. 각 문자가 나타내는 숫자를 구하세요.

❺

A: ⬚ , B: ⬚

❻

A: ⬚ , B: ⬚ , C: ⬚

❖ A, B, C, D, E, F의 위치는 다음 여섯 개 자리 중 하나입니다. 위치에 맞게 ⬚ 안에 이름을 써넣으세요.

❼
- B의 바로 아래에 D가 있습니다.
- A는 F와 가장 멀리 떨어져 있습니다.
- E의 바로 왼쪽에 D가 있습니다.
- C의 바로 아래에 F가 있습니다.

❖ 주어진 칸 수로 사각형이 만들어지도록 나누어 보세요.

❶

3칸, 5칸, 6칸

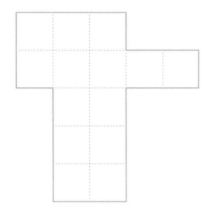

❷

2칸, 2칸, 4칸, 5칸

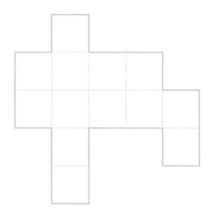

❖ 규칙에 맞게 빈칸에 수를 써넣으세요.

❸

• 규칙 •
- → 방향으로 **2**씩 커지고, ↑ 방향으로 **1**씩 커집니다.
- 가장 작은 수는 **4**입니다.

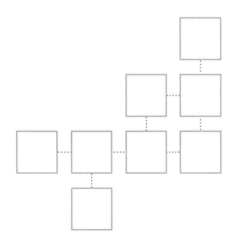

❹

• 규칙 •
- → 방향으로 **1**씩 커지고, ↑ 방향으로 **2**씩 커집니다.
- 가장 큰 수는 **15**입니다.

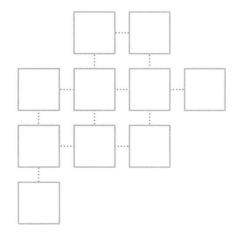

❖ ☐ 안에 알맞은 수를 써넣으세요.

❺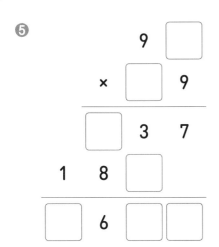

❻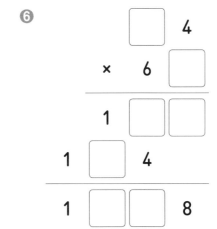

❖ A, B, C, D, E, F 6명이 있습니다. 도착한 순서대로 ☐ 안에 이름을 써넣으세요.

❼

- B가 도착하기 직전에 D가 도착했습니다.
- C가 도착하기 전에 2명이 도착했습니다.
- E는 B보다 늦게 도착했지만 A보다 일찍 도착했습니다.
- F는 가장 늦게 도착했습니다.

<도착 순서>

일찍 ☐ ☐ ☐ ☐ ☐ ☐ 늦게

❖ 시카쿠 퍼즐을 풀어 보세요.

> ┌ 규칙 ┐
> • 적힌 수의 칸만큼 사각형을 그립니다.
> • 칸이 남거나 겹치지 않아야 합니다.

❶

	3		
3			10
	4		
		4	

❷

	3		
		8	
			3
6	2		2

❖ 가로줄, 세로줄, 굵은 선으로 묶인 칸에 1부터 4까지의 수가 한 번씩 들어가도록 스도쿠 퍼즐을 풀어 보세요.

❸

	2		4
	1		
1		2	
		4	

❹

4	1		2
3		1	4

❖ 같은 문자는 같은 숫자, 다른 문자는 다른 숫자를 나타냅니다. 각 문자가 나타내는 숫자를 구하세요.

❺

A: ☐ , B: ☐

❻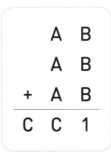

A: ☐ , B: ☐ , C: ☐

❖ A, B, C, D는 빨간색, 파란색, 초록색, 검은색 중 서로 다른 하나를 좋아합니다. 표를 직접 만들어 보고, 좋아하는 것을 각각 구하세요.

❼
- **A**는 파란색, 검은색을 좋아하는 사람과 같이 공원에 갔습니다.
- **C**는 빨간색과 검은색 중 하나를 좋아합니다.
- **D**는 초록색을 좋아합니다.

<좋아하는 색깔>

A: ☐

B: ☐

C: ☐

D: ☐

❖ 펜스 퍼즐을 풀어 보세요.

> **규칙**
> • 수는 그 칸을 둘러싼 선의 개수입니다.
> • 선은 끊어지지 않으며 하나의 도형이 만들어져야 합니다.

❶

3	1	3
3	2	2
3	2	1

❷

2	3	2
3	0	3
2	3	2

❖ 가로줄, 세로줄, 굵은 선으로 묶인 칸에 1부터 5까지의 수가 한 번씩 들어가도록 스도쿠 퍼즐을
풀어 보세요.

❸

1			4	3
4	3		1	
		4		5
5				
		3		1

❹

			4	
		3		
1		2		
2				1
3	5			2

✿ ☐ 안에 알맞은 수를 써넣으세요.

❺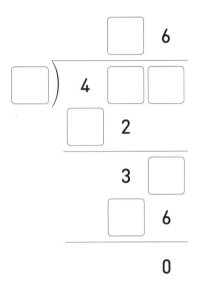

❻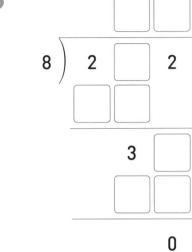

✿ A, B, C, D, E 5명이 있습니다. 5명의 멀리뛰기 기록은 150 cm, 160 cm, 175 cm, 180 cm, 200 cm 중 서로 다른 하나입니다. 조건에 맞게 표를 완성하세요.

❼
- A는 B, C보다 멀리 뛰지 못했지만 D, E보다 멀리 뛰었습니다.
- C와 D의 기록 차이는 30 cm입니다.

기록	150 cm	160 cm	175 cm	180 cm	200 cm
이름					

pensées

지식과상상 연구소 since 2013

대표 한헌조, 연구소장 김성국

창의적인 **생각** 재미 가득 **활동** 의미 있는 **지식** 자유로운 **상상** 을

수학이라는 그릇에 아름답게 담아내겠습니다.

교구 프로그램

- 우리 아이 첫 번째 선물 **아토**
- 유아 수학 7대 지능 프로그램 **마테킨더**
- 유아 창의사고력 활동 수학 프로그램 **씨투엠키즈**
- 초등 창의사고력 수학 교구 프로그램 **씨투엠클래스**
- 초등 교과 창의 보드게임 **초등 수학 교구 상자**
- 사고가 자라는 수학 **매쓰업**
- 3D 두뇌 트레이닝 **지오플릭**
- 생각을 감는 두뇌회전 놀이 **릴브레인**

교재 시리즈

- 공간 감각을 위한 하루 10분 도형 학습지 **플라토**
- 실전 사고력 수학 프로그램 **씨투엠RAT**
- 하루 10분 서술형/문장제 학습지 **수학독해**
- 상위권으로 가는 문제해결 연산 학습지 **응용연산**
- 사고력수학의 시작 **팡세**

수학으로 하나되는 무한 상상공간 필즈엠 카페

| 필즈엠 ▼ |

http://cafe.naver.com/fieldsm

1. 답안지 분실 시 다운로드
2. 교구 활동지 다운로드
3. 연령별 학습 커리큘럼 제안
4. 교육 모임
5. 영상 학습자료 지원

필즈엠 카페는 최신 교육정보 및 다양한 학습자료를 자유롭게 공유하는 열린 공간입니다.

'사고력수학의 시작'

'수'

팩토

D2
정답과 풀이

DAY 1

스네이크 퍼즐

✏️ 스네이크 퍼즐을 풀어 보세요. 색칠된 두 칸은 시작칸과 끝칸입니다.

규칙
• 각 가로줄과 세로줄에 적힌 수만큼 칸이 색칠되어 있습니다.
• 길이 갈라지거나 끊어짐 없이 연결되어야 합니다.

분명하게 알 수 있는 칸에 색칠하거나 ×표를 해 봐.

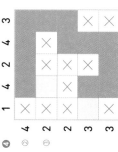

넓은 칸에 모두 ×표

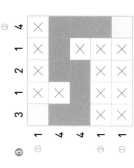

3칸 색칠 / 4칸 색칠

①
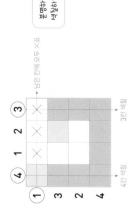
① 5칸 모두 색칠합니다.
② 색칠된 칸 제외 모두 ×표 합니다.
③ ×표 제외 모두 색칠합니다.
④ 색칠된 칸이 한 줄로 이어지도록 마무리합니다.

②

① 5칸 모두 색칠합니다.
② 색칠된 칸 제외 모두 ×표 합니다.
③ ×표 제외 모두 색칠합니다.

---

pensées

④
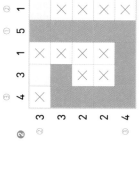
① 색칠된 칸 제외 모두 ×표 합니다.
② ×표 제외 모두 색칠합니다.
③ 한 줄로 이어져야 하므로 가장 오른쪽 칸에 색칠해야 합니다. 나머지 칸에 ×표 합니다.
④ ×표 제외 모두 색칠합니다.

③
① 색칠된 칸 제외 모두 ×표 합니다.
② ×표 제외 모두 색칠합니다.
③ 색칠된 칸 제외 모두 ×표 합니다.

⑥
① 모두 ×표 합니다.
② 모두 색칠합니다.
③ 색칠된 칸 제외 모두 ×표 합니다.
④ 한 줄로 이어져야 하므로 맨 아래 칸에 색칠되어야 합니다. 나머지 칸에 ×표 합니다.

⑤
① 색칠된 칸 제외 모두 ×표 합니다.
② 한 줄로 이어져야 하므로 가장 왼쪽에 색칠되어야 합니다. 나머지 칸에 ×표 합니다.
③ 한 줄로 이어져야 하므로 왼쪽에서 4번째 칸이 색칠되어야 합니다. 나머지 칸에 ×표 합니다.

DAY 2

노노그램

노노그램 퍼즐을 풀어 보세요.

규칙
• 각 가로줄과 세로줄에 적힌 수만큼 칸이 색칠되어 있습니다.
• 수만큼 연속으로 색칠해야 합니다.

(2, 1)은 연속으로 2칸을 색칠한 후 최소 한 칸 띄어서 1칸을 색칠하라는 뜻이야.

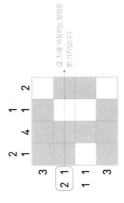

(2, 1)을 색칠하는 방법은 한 가지입니다.

❶
① 모두 색칠합니다.
② 색칠된 칸 제외 모두 X표 합니다.
③ 색칠하는 방법은 한 가지입니다.

❷
① 색칠하는 방법은 한 가지입니다.
② X표 제외 모두 색칠합니다.
③ 연속으로 색칠해야 하므로 맨 위 쪽 칸에 X표를 하고, 나머지 칸에 색칠합니다.

③
① 모두 색칠합니다.
② 색칠된 칸 제외 모두 X표 합니다.

④
① 모두 색칠합니다.
② 색칠된 칸 제외 모두 X표 합니다.
③ X표 제외 모두 색칠합니다.

⑤
① 모두 색칠합니다.
② 색칠된 칸 양쪽으로 최소 1칸을 띄어야 하므로 남은 2칸은 가장 왼쪽에 색칠합니다.
③ 맨 위에 색칠되어 있으므로 바로 밑의 두 칸에 색칠합니다.

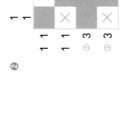

⑥
① 모두 색칠합니다.
② 색칠하는 방법은 1가지입니다.
③ 색칠된 칸 제외 모두 X표 합니다.
④ 가운데 3칸은 반드시 색칠되어야 합니다.

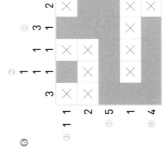

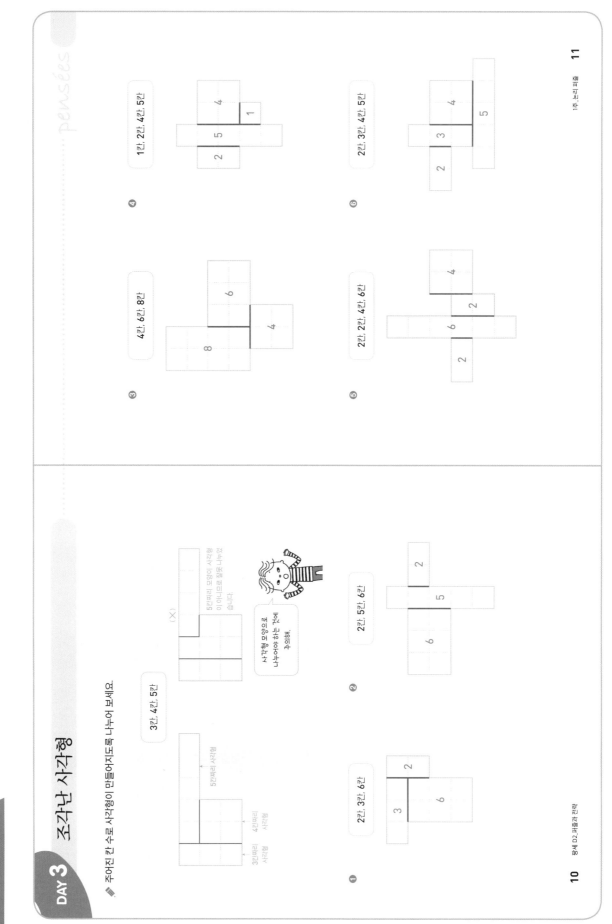

1주차 논리 퍼즐

DAY 3

조각난 사각형

✎ 주어진 한 수로 사각형이 만들어지도록 나누어 보세요.

3칸, 4칸, 5칸

5칸짜리 모양이 사각형 나누어야 하는 것에 주의해.

(X)

5칸짜리 모양이 이어지면 안 되니까 사각형으로 잘못 나누어 있습니다.

2칸, 3칸, 6칸

2칸, 5칸, 6칸

pensées

4칸, 6칸, 8칸

2칸, 2칸, 4칸, 6칸

1칸, 2칸, 4칸, 5칸

2칸, 3칸, 4칸, 5칸

DAY 4

시카쿠 퍼즐

🖊 시카쿠 퍼즐을 풀어 보세요.

규칙
• 적힌 수의 칸만큼 사각형을 그립니다.
• 칸이 남거나 겹치지 않아야 합니다.

10을 포함한 사각형은 1가지뿐이야.

❶ 6을 포함한 사각형은 1가지뿐입니다.
6을 포함한 사각형은 1가지뿐입니다.

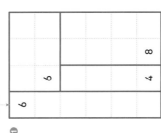

❷ 4를 포함한 사각형은 1가지뿐입니다.

❸ 6을 포함한 사각형은 1가지뿐입니다.
5를 포함한 사각형은 1가지뿐입니다.

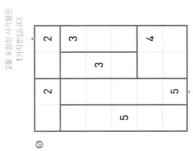

❹ 6을 포함한 사각형은 1가지뿐입니다.
3을 포함한 사각형은 1가지뿐입니다.

❺ 2를 포함한 사각형은 1가지뿐입니다.
5를 포함한 사각형은 1가지뿐입니다.

❻ 6을 포함한 사각형은 1가지뿐입니다.

1주_논리 퍼즐

평세 D2 퍼즐과 전략

DAY 5

펜스 퍼즐

◆ 펜스 퍼즐을 풀어 보세요.

규칙
• 수는 그 칸을 둘러싼 선의 개수입니다.
• 선은 끊어지지 않으며 하나의 도형이 만들어져야 합니다.

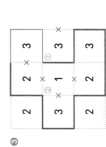

선으로 3개를 둘러싸야 해.

하나의 고리 모양으로 도형이 만들어져야 해.

❶
① 0 주위에 모두 ×표 합니다.
② ×표 제외한 곳에 선을 긋습니다.
③ 선을 그은 곳을 제외한 곳에 ×표 합니다.

❷
① 선이 끊어지면 안되므로 선 3개를 긋는 방법은 1가지입니다.
② 선이 끊어지면 안되므로 선 1개를 긋는 방법은 1가지입니다.

❹
① 선을 그은 곳을 제외한 곳에 ×표 합니다.
② ×표 제외한 곳에 선을 긋습니다.
③ 선이 끊어지면 안되므로 선 1개를 긋는 방법은 1가지입니다.

❻
① 선이 끊어지면 안되므로 선 2개를 긋는 방법은 1가지입니다.
② ×표 제외한 곳에 선을 긋습니다.

❸
① 선이 끊어지면 안되므로 선 3개를 긋는 방법은 1가지입니다.
② 선을 그은 곳을 제외한 곳에 ×표 합니다.

❺
① 선이 끊어지면 안되므로 선 3개를 긋는 방법은 1가지입니다.
② 선이 끊어지면 안되므로 선 2개를 긋는 방법은 1가지입니다.

확인학습

◈ 시카쿠 퍼즐을 풀어 보세요.

> 규칙
> • 적힌 수의 칸만큼 사각형을 그립니다.
> • 칸이 남거나 겹치지 않아야 합니다.

① 8을 포함한 사각형은 1가지뿐입니다.

8			
	4	3	
		3	2
	4		

② 9를 포함한 사각형은 1가지뿐입니다.

2			9	
		3		
	4	4	2	
4				

◈ 펜스 퍼즐을 풀어 보세요.

① 선을 그은 곳을 제외한 곳에 ×표 합니다.
② 선이 꺾어지면 안되므로 선 3개를 긋는 방법은 1가지입니다.

③

3	1	1	3
2	2	2	1
1	3	1	

④ ① 선을 그은 곳을 제외한 곳에 ×표 합니다.
② 선이 꺾어지면 안되므로 선 3개를 긋는 방법은 1가지입니다.
③ 선이 꺾어지면 안되므로 선 2개를 긋는 방법은 1가지입니다.

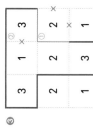

×	2	2	2
2	2	0	2
3	×	3	
2	2		

2주차 배치 퍼즐

DAY 1

큰 수 배치

◇ ○ 안의 수는 그 줄에 놓인 수 중 가장 큰 수를 나타낸 것입니다. 빈칸에 1부터 9까지의 수가
한 번씩 오도록 모두 써넣으세요.

한 칸만 비어 있는
줄부터 확인해 보자.

❶

1	2	5
3	8	6
7	4	9

→ 7   → 8   → 9

↑ 5   ↑ 8   ↑ 9

❷

3	4	1
2	5	7
6	8	9

→ 6   → 8   → 9

↑ 4   ↑ 7   ↑ 9

❸

1	7	2
8	5	3
9	6	4

→ 9   → 7   → 4

↑ 7   ↑ 8   ↑ 9

❹

5	7	3
8	6	4
2	9	1

→ 8   → 9   → 4

↑ 7   ↑ 8   ↑ 9

❺

8	3	9
9	6	5
7	1	2

→ 8   → 9   → 5

↑ 9   ↑ 7   ↑ 4

❻

4	6	8
1	5	3
2	9	7

→ 4   → 9   → 8

↑ 8   ↑ 5   ↑ 9

점점 크게

📖 규칙에 맞게 빈 칸에 알맞은 수를 써넣으세요.

규칙
→ 방향으로 2씩 커지고, ↑방향
으로 1씩 커집니다.
· 가장 작은 수는 **3**입니다.

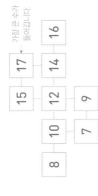

왼쪽으로 갈수록, 아래로 갈수록 값수록 수가 작아집니다.
가장 작은 수가 들어갑니다.

먼저 가장 작은 수가 어디에 들어가야 하는지 알아봐.

①
규칙
→ 방향으로 2씩 커지고, ↑방향
으로 1씩 커집니다.
· 가장 작은 수는 **5**입니다.

가장 작은 수가 들어갑니다.

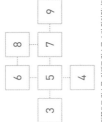

②
규칙
→ 방향으로 2씩 커지고, ↑방향
으로 1씩 커집니다.
· 가장 큰 수는 **11**입니다.

가장 큰 수가 들어갑니다.

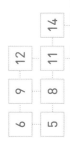

❸
규칙
→ 방향으로 2씩 커지고, ↑방향
으로 3씩 커집니다.
· 가장 작은 수는 **4**입니다.

가장 작은 수가 들어갑니다.

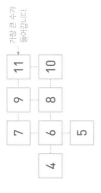

❹
규칙
→ 방향으로 2씩 커지고, ↑방향
으로 3씩 커집니다.
· 가장 큰 수는 **17**입니다.

가장 큰 수가 들어갑니다.

❺
규칙
→ 방향으로 1씩 커지고, ↑방향
으로 3씩 커집니다.
· 가장 작은 수는 **2**입니다.

가장 작은 수가 들어갑니다.

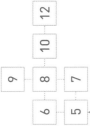

❻
규칙
→ 방향으로 3씩 커지고, ↑방향
으로 1씩 커집니다.
· 가장 큰 수는 **16**입니다.

가장 큰 수가 들어갑니다.

2주차 배치 퍼즐

DAY 3

숫자 나누기

✎ 1, 2, 3, 4가 하나씩 포함되도록 선을 따라 4칸씩 묶어 보세요.

같은 수가 이웃한 칸은 반드시 나누어져야 해.

숫자가 같으므로 반드시 나누어져야 합니다.

같은 수가 이웃한 칸은 나누어져야 합니다.

❶

❷

---

pensées

✎ 1, 2, 3, 4, 5가 하나씩 포함되도록 선을 따라 5칸씩 묶어 보세요.

❸

❹

❺

❻

스도쿠

가로줄, 세로줄, 굵은 선으로 묶인 칸에 1부터 4까지의 수가 한 번씩 들어가도록 스도쿠 퍼즐을 풀어 보세요.

이와 같은 규칙의 퍼즐을 스도쿠 퍼즐이라고 해.

4	㉠2	3	1
1	3	2	4
2	4	1	3
3	1	5	2

가로줄에 2가 있으므로 이 칸에는 2가 들어갈 수 없습니다.
따라서 ㉠에 2가 들어갑니다.

❶

3	2	1	4
4	1	3	2
1	4	2	㉡3
2	3	㉠4	

① 가로줄에 4가 없으므로 4가 들어갑니다.
② 굵은 선 안에 3이 없으므로 3이 들어갑니다.

❷

3	㉠1	2	4
2	4	3	㉡1
4	2	1	3
1	3	4	2

① 세로줄에 2가 있으므로 이 칸에는 2가 들어갈 수 없습니다. 따라서 1이 들어가고 가로줄에 남은 칸에 2가 들어갑니다.
② 굵은 선 안에 1이 없으므로 1이 들어갑니다.

❸

1	㉡4	2	3
㉠2	3	4	1
3	2	1	4
4	1	3	2

① 세로줄에 2가 없으므로 2가 들어갑니다.
② 굵은 선 안에 4가 없으므로 4가 들어갑니다.

❹

1	3	4	2
㉠4	2	1	3
3	1	㉡2	4
2	4	3	1

① 가로줄에 3이 있으므로 이 칸에는 3이 들어갈 수 없습니다. 따라서 4가 들어가고 세로줄에 남은 칸에 3이 들어갑니다.
② 가로줄에 2가 없으므로 2가 들어갑니다.

❺

2	3	4	1
㉠1	4	3	2
3	㉡2	1	4
4	1	2	3

① 가로줄에 3이 있으므로 이 칸에는 3이 들어갈 수 없습니다. 따라서 1이 들어가고 세로줄에 남은 칸에 3이 들어갑니다.
② 굵은 선 안에 2가 없으므로 2가 들어갑니다.

❻

2	3	4	1
㉠1	㉡3	2	4
4	2	1	3
3	1	2	4

① 가로줄에 2가 있으므로 이 칸에는 2가 들어갈 수 없습니다. 따라서 3이 들어가고 굵은 선 안의 남은 칸에 2가 들어갑니다.
② 가로줄에 1이 없으므로 1이 들어갑니다.

DAY 5

펜토미노 스도쿠

📝 가로줄, 세로줄, 굵은 선으로 묶인 칸에 1부터 5까지의 수가 한 번씩 들어가도록 스도쿠 퍼즐을 풀어 보세요.

정사각형 다섯 개를 이어 붙인 도형을 펜토미노라고 해. 왼쪽 문제는 펜토미노를 이용하여 만든 스도쿠 퍼즐이야.

①
① 세로줄에 1이 없으므로 1이 들어 갑니다.
② 굵은 선 안에 2가 없으므로 2가 들어갑니다.

②
① 세로줄에 5가 없으므로 5가 들어 갑니다.
② 가로줄에 4가 있으므로 이 칸에 는 4가 들어갈 수 없습니다. 따라 서 2가 들어가고 굵은 선 안의 남 은 칸에 4가 들어갑니다.

③
① 가로줄에 2가 없으므로 2가 들어 갑니다.
② 세로줄에 4가 없으므로 4가 들어 갑니다.

④
① 세로줄에 2가 있으므로 이 칸에 는 2가 들어갈 수 없습니다. 따라 서 4가 들어가고 가로줄이 남은 칸에 2가 들어갑니다.
② 굵은 선 안에 4가 없으므로 4가 들어갑니다.

⑤
① 세로줄에 3이 있으므로 이 칸에 는 3이 들어갈 수 없습니다. 따라 서 5가 들어가고 굵은 선 안의 남 은 칸에 3이 들어갑니다.
② 세로줄에 2가 없으므로 2가 들어 갑니다.

⑥
① 세로줄에 5가 있으므로 이 칸에 는 5가 들어갈 수 없습니다. 따라 서 4가 들어가고 가로줄이 남은 칸에 5가 들어갑니다.
② 세로줄 안에 2가 없으므로 2가 들어 갑니다.

확인학습

규칙에 맞게 빈칸에 알맞은 수를 써넣으세요.

① 규칙
- → 방향으로 1씩 커지고, ↑ 방향으로 3씩 커집니다.
- 가장 작은 수는 3입니다.

	10	11
6	7	8	9
3	4	

가장 작은 수가 들어갑니다

② 규칙
- → 방향으로 1씩 커지고, ↑ 방향으로 2씩 커집니다.
- 가장 큰 수는 14입니다.

	13	14
11	12	13
8	9	10
6		

가장 큰 수가 들어갑니다

가로줄, 세로줄, 굵은 선으로 묶인 칸에 1부터 5까지의 수가 한 번씩 들어가도록 스도쿠 퍼즐을 풀어 보세요.

③

5	3	1	2	4
3	5	4	1	2
4	1	2	3	5
1	2	5	4	3
2	4	3	5	1

④

5	2	3	4	1
1	3	4	2	5
4	1	5	1	2
3	5	2	1	4
2	4	1	5	3

pensées

3주차 복면산과 벌레 먹은 셈

DAY 1

두 수의 덧셈 복면산

✏ 같은 문자는 같은 숫자, 다른 문자는 다른 숫자를 나타냅니다. 각 문자가 나타내는 숫자를 구하세요.

숫자의 일부 또는 전부를 문자나 모양으로 나타낸 계산식을 마치 복면을 쓴 모양과 같다고 하여 복면산이라고 합니다.

복면산을 풀 때에는 문자가 나타내는 숫자를 예상한 후 풀어야 하며, 특히 가장 높은 자리 숫자부터 생각하면 문제 해결이 되는 경우가 많습니다.

받아올림을 생각하면 문제 해결의 실마리가 보일 수 있어. 또 가장 높은 자리 숫자는 0이 될 수 없는 것도 주의해.

①
```
  A B
+ B A
-------
A A C
```
A: 1 , B: 9 , C: 0

① (두 자리 수)+(두 자리 수)=(세 자리 수)이므로 A=1
② 십의 자리 계산에서 B=9
③ 일의 자리 계산에서 C=0

②
```
  A B
+   B
-------
  B A
```
A: 8 , B: 9

십의 자리 숫자에서 A와 B가 다르므로 받아올림이 있습니다.
A=8, B=9인 경우에 올바른 식이 됩니다.

③
```
  A B
+ B B
-------
  6 A
```
A: 4 , B: 2

십의 자리 계산에서 A+B가 5 또는 6이 되어야 합니다.
A=4, B=2인 경우에 올바른 식이 됩니다.

④
```
  A B
+ C A
-------
A B A
```
A: 1 , B: 0 , C: 9

(두 자리 수)+(두 자리 수)
=(세 자리 수)이므로 A=1
일의 자리 계산에서 B=0
십의 자리 계산에서 C=9

⑤
```
  A B
+ A A
-------
C C C
```
A: 5 , B: 6 , C: 1

(두 자리 수)+(두 자리 수)
=(세 자리 수)이므로 C=1
십의 자리 계산에서 A=5
일의 자리 계산에서 B=6

⑥
```
  A A
+ B C
-------
B B B
```
A: 9 , B: 1 , C: 2

(두 자리 수)+(두 자리 수)
=(세 자리 수)이므로 B=1
십의 자리 계산에서 A=9
일의 자리 계산에서 C=2

DAY 2

세 수의 덧셈 복면산

✏️ 같은 문자는 같은 숫자, 다른 문자는 다른 숫자를 나타냅니다. 각 문자가 나타내는 숫자를 구하세요.

수가 더 많아졌다고 해서 어려운 것은 아니야. 두 수의 복면산 구하는 방법과 똑같아.

```
    A
    A
+ B A
-------
C D A
```

A: 5 , B: 9 , C: 1 , D: 0

① 계산 결과에 백의 자리가 있으므로 십의 자리에서 받아올림된 것입니다: C=1
② 일의 자리 계산에서 A는 0 또는 5가 될 수 있지만 A가 0이면 결과가 세 자리 수가 될 수 없습니다: A=5
③ 십의 자리 계산에서 B=9, D=0

❶
```
  A
  A
+ A A
-----
B 8
```

A: 6 , B: 7

① 일의 자리 계산에서 A=6
② 십의 자리 계산에서 1+A=B이므로 B=7

❷
```
  A
  A
+ A B
-----
B B
```

A: 5 , B: 6

① 일의 자리 계산에서 A=0 또는 5인데 가장 높은 자리에 0이 올 수 없으므로 A=5
② 십의 자리 계산에서 1+A=B이므로 B=6

❸
```
  A A
  B B
+ C 3
-----
A B 3
```

A: 1 , B: 9 , C: 8

① A=1 또는 2이고 일의 자리 계산에서 A=1, B=9 또는 A=2, B=8입니다. 그런데 십의 자리 계산에서 2+8+C+1=280 될 수 없으므로 A=1, B=9
② 십의 자리 계산에서 C=8

❹
```
  A B
  B B
+ C C
-----
A B C
```

A: 1 , B: 5 , C: 8

① 일의 자리 계산에서 B=0 또는 5인데 가장 높은 자리에 0이 올 수 없으므로 B=5
② A=1 또는 2인데 십의 자리 계산에서 받아올림이 2번 나올 수 없으므로 A=1
③ 십의 자리 계산에서 C=8

❺
```
  A A
  A B
+ C A
-----
A A A
```

A: 1 , B: 9 , C: 8

① A=1 또는 2인데 십의 자리 계산에서 받아올림이 2번 나올 수 없으므로 A=1
② 일의 자리 계산에서 B=9
③ 십의 자리 계산에서 C=8

❻
```
  A B
  A B
+ A B
-----
C A A
```

A: 4 , B: 8 , C: 1

① 일의 자리에서 받아올림을 생각할 경우 십의 자리 계산에서 A가 될 수 있는 수는 4, 5, 9입니다.
② A=4, B=8, C=1일 때, 올바른 식이 됩니다.

DAY 3

곱셈 복면산

같은 문자는 같은 숫자, 다른 문자는 다른 숫자를 나타냅니다. 각 문자가 나타내는 숫자를 구하세요.

A와 B에 수를 하나씩 넣어서 올바른 식을 만들 수 있는지 확인해.

$$\begin{array}{r} 9\ A \\ \times\quad 6 \\ \hline B\ B\ A \end{array}$$

A: 2, B: 5

① 계산 결과의 백의 자리, 십의 자리에서 B가 될 수 있는 수는 5입니다.

② 일의 자리 계산에서 A=2

❶
$$\begin{array}{r} A\ 7 \\ \times\quad A \\ \hline B\ B\ B \end{array}$$

A: 3, B: 1

A에 1, 2, 3 ……을 차례로 넣어 보면
A=3, B=1

❷
$$\begin{array}{r} A\ A \\ \times\quad A \\ \hline 2\ B\ A \end{array}$$

A: 5, B: 7

A가 될 수 있는 수는 1, 5, 6인데 계산 결과의 백의 자리 숫자가 2이므로
A=5, B=7

❸
$$\begin{array}{r} A\ A \\ \times\quad 6 \\ \hline 1\ B\ A \end{array}$$

A: 2, B: 3

A가 될 수 있는 수는 2, 4, 6, 8인데 계산 결과의 백의 자리 숫자가 1이므로
A=2, B=3

❹
$$\begin{array}{r} A\ 7 \\ \times\quad B \\ \hline A\ A\ A \end{array}$$

A: 3, B: 9

A에 1, 2, 3 ……을 차례로 넣어 보면
A=3, B=9

❺
$$\begin{array}{r} A\ A\ A \\ \times\qquad 2 \\ \hline 1\ B\ B\ 4 \end{array}$$

A: 7, B: 5

A가 될 수 있는 수는 2, 7인데 계산 결과의 네 자리 숫자가 A=7,
B=5

❻
$$\begin{array}{r} A\ B\ 7 \\ \times\qquad A \\ \hline C\ 7\ C \end{array}$$

A: 2, B: 3, C: 4

계산 결과가 세 자리 수이므로 A는 2 또는 3입니다.
A=2, B=3, C=4

pensées

별레 먹은 곱셈

✏️ ☐ 안에 알맞은 수를 써넣으세요.

별레 먹은 셈은 숫자의 일부 또는 전부가 지워져 보이지 않는 계산식을 뜻하며, 식이 지워진 모습이 마치 별레가 갉아 먹은 모양과 같다고 하여 붙여진 이름입니다.

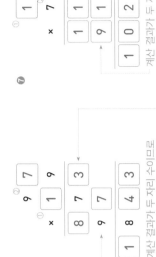

곱셈식은 곱의 일의 자리 숫자와 받아올림에 주의하도록 해.

❶
```
    ㉠ 4 3
  ×     3
  1 2 9
```
① ㉠×3의 계산 결과의 일의 자리 숫자가 9이므로 곱하는 수는 3입니다.
② 계산 결과의 백의 자리 숫자가 4이므로 받아올림을 생각하여 ㉠은 ☐안에 알맞은 수를 써넣습니다.

❷
```
      8 2
  ×   3 ㉠
  3 2 8
       4
```
2×㉠의 계산 결과의 일의 자리 숫자가 8이므로 ㉠에 들어갈 수는 4 또는 9입니다.
㉠=4일 때 올바른 식이 완성됩니다.

❸
```
      1 6 8
  ×         ㉠
  1 3 4 4
          8
```
8×㉠의 계산 결과의 일의 자리 숫자가 4이므로 ㉠에 들어갈 수는 3 또는 8입니다.
㉠=8일 때 올바른 식이 완성됩니다.

❹
```
      2 ㉠
  ×   2 3
  8 8
  2 3 2
  2 5 5 2
```
☐ 안에는 2가 들어가고 계산 결과는 9입니다.
☐에 맞게 ㉠에 들어갈 숫자는 9입니다.

❺
```
      5 ㉠
  ×   4 8
  5 9 8
  4 4 8
  5 4 8 8
```
계산 결과에 맞게 ㉠에 들어갈 숫자는 5 또는 6인데 6이 들어가면 계산 결과의 천의 자리 숫자가 6이 되므로 ㉠에 들어갈 숫자는 5입니다.

❻
```
      9 7
  ×   1 9
  8 7 3
  9 7
  1 8 4 3
```
계산 결과가 두 자리 수이므로 ㉠에 들어갈 숫자는 1입니다.
백의 자리 숫자는 8입니다. 또한 십의 자리 숫자가 7이므로 ㉡에 들어갈 숫자는 7입니다.

❼
```
      1 3
  ×   7 9
  1 1 7
  9 1
  1 0 2 7
```
계산 결과가 두 자리 수이므로 ㉠에 들어갈 숫자는 1입니다.
계산 결과의 일의 자리 숫자가 7이므로 ㉡에 들어갈 숫자는 9입니다.

pensées

3주차 복면산과 벌레 먹은 셈

DAY 5

벌레 먹은 나눗셈

□ 안에 알맞은 수를 써넣으세요.

아래부터 위로 올라가면서 알맞은 수를 써넣습니다.

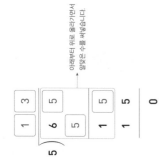

완성된 식이 올바른지 확인해 보도록 하자.

아래부터 위로 올라가면서 알맞은 수를 써넣습니다.

아래부터 위로 올라가면서 알맞은 수를 써넣습니다.

3주차

확인학습

같은 문자는 같은 숫자, 다른 문자는 다른 숫자를 나타냅니다. 각 문자가 나타내는 숫자를 구하세요.

1

$$
\begin{array}{r}
A\,A \\
\times\ \ A \\
\hline
3\,B\,A
\end{array}
$$

A가 될 수 있는 수는 1, 5, 6입니다.
계산 결과의 백의 자리 숫자가 3이므로
A=6, B=9입니다.

A: [6] , B: [9]

2

$$
\begin{array}{r}
A\,B \\
\times\ \ 6 \\
\hline
B\,B\,B
\end{array}
$$

B가 될 수 있는 수는 2, 4, 6, 8입니다.
B=2, 4, 6, 8을 차례로 넣어 보면
A=7, B=4입니다.

A: [7] , B: [4]

□ 안에 알맞은 수를 써넣으세요.

3

$$
\begin{array}{r}
1\,6 \\
\times\ 5\,7 \\
\hline
1\,1\,2 \\
8\,0\ \ \\
\hline
9\,1\,2
\end{array}
$$

계산 결과가 두 자리 수이므로 ⊙에
들어갈 숫자는 1입니다.

4

$$
\begin{array}{r}
9\,3 \\
6\,\overline{)\,5\,5\,8} \\
5\,4\ \ \\
\hline
1\,8 \\
1\,8 \\
\hline
0
\end{array}
$$

연역 추리

DAY 1

3단 연역표

A, B, C는 다음 세 가지 중 서로 다른 하나를 좋아합니다. 좋아하는 것에 ○표, 좋아하지 않는 것에 ×표 하고, 좋아하는 것을 각각 구하세요.

① 야구 축구 테니스

- A는 야구를 좋아하는 사람보다 나이가 어립니다.
- 축구를 좋아하는 사람은 A의 옆집에 삽니다.
- C는 축구를 좋아하지 않습니다.

첫 번째, 두 번째 조건에서 A는 야구, 축구를 좋아하지 않음을 알 수 있어.

<좋아하는 운동>

운동\이름	야구	축구	테니스
A	×	×	○
B	×	○	×
C	○	×	×

A: 테니스 , B: 축구 , C: 야구

② 빨간색 초록색 검은색

- B는 검은색을 좋아하는 사람보다 키가 큽니다.
- C는 빨간색, 검은색을 좋아하는 사람보다 한 살 적습니다.

<좋아하는 색깔>

색깔\이름	빨간색	초록색	검은색
A	×	×	○
B	○	×	×
C	×	○	×

A: 검은색
B: 빨간색
C: 초록색

① 강아지 고양이 원숭이

- A와 C는 강아지를 좋아하는 사람과 성별이 다릅니다.
- A는 원숭이를 좋아하는 사람과 같은 학원에 다닙니다.

<좋아하는 동물>

동물\이름	강아지	고양이	원숭이
A	×	○	×
B	○	×	×
C	×	×	○

A: 고양이
B: 강아지
C: 원숭이

③ 드럼 피아노 기타

- 오늘 A는 기타를 좋아하는 사람과 도서관을 갔고, B는 집에만 있었습니다.
- B는 드럼을 좋아하는 학생보다 달리기가 빠릅니다.

<좋아하는 악기>

악기\이름	드럼	피아노	기타
A	○	×	×
B	×	○	×
C	×	×	○

A: 드럼
B: 피아노
C: 기타

pensées

DAY 2

4단 연역표

A, B, C, D는 다음 네 가지 중 서로 다른 하나를 좋아합니다. 표를 직접 만들어 보고, 좋아하는 것을 각각 구하세요.

①

바나나 포도
망고 사과

- A는 사과를 좋아하는 사람과 다른 반입니다.
- B는 바나나를 좋아합니다.
- C는 포도, 사과를 좋아하는 사람과 같은 학원을 다닙니다.

<좋아하는 과일>

과일\이름	바나나	포도	망고	사과
A	×	○	×	×
B	○	×	×	×
C	×	×	○	×
D	×	×	×	○

A: 포도
B: 바나나
C: 망고
D: 사과

②

봄 여름
가을 겨울

- A는 가을을 좋아합니다.
- C는 0~제 봄을 좋아하는 사람과 전화 통화를 했습니다.
- C와 D는 여름을 좋아하는 사람과 축구를 했습니다.

<좋아하는 계절>

계절\이름	봄	여름	가을	겨울
A	×	×	○	×
B	×	○	×	×
C	×	×	×	○
D	○	×	×	×

A: 가을
B: 여름
C: 겨울
D: 봄

②

국어 미술
음악 체육

- A는 국어, 미술을 좋아하는 사람과 같이 숙제를 했습니다.
- B는 음악, 체육을 좋아하는 사람보다 키가 큽니다.
- C는 국어를 좋아하는 사람 옆집에 삽니다.
- D는 음악을 좋아합니다.

<좋아하는 과목>

과목\이름	국어	미술	음악	체육
A	×	×	×	○
B	○	×	×	×
C	×	○	×	×
D	×	×	○	×

A: 체육
B: 국어
C: 미술
D: 음악

③

야구 농구
태권도 수영

- A는 태권도를 좋아합니다.
- B, C와 야구를 좋아하는 사람은 어제 놀이 공원에 갔습니다.
- B, D와 농구를 좋아하는 사람은 같은 반입니다.

<좋아하는 운동>

운동\이름	야구	농구	태권도	수영
A	×	×	○	×
B	×	○	×	×
C	×	×	×	○
D	○	×	×	×

A: 태권도
B: 수영
C: 농구
D: 야구

4주차 연역 추리

DAY 3

다양하게 배치하기

A, B, C, D, E, F의 위치는 다음 여섯 개 자리 중 하나입니다. 위치에 맞게 □ 안에 이름을 써넣으세요.

위치를 확실히 알 수 있는 두 번째, 세 번째 조건을 먼저 생각해 봐.

- A의 왼쪽에 B가 있고, 오른쪽에 C가 있습니다.
- 가장 왼쪽에 E가 있고, 가장 오른쪽에 D가 있습니다.
- F의 왼쪽에는 3명 있습니다.

E	B	A	F	C	D

첫 번째 조건에서 B - A - C의 순서로 있음을 알 수 있습니다. 하지만 바로 옆에 있다는 뜻이 아님에 주의합니다.

❶

- A의 왼쪽에 D가 있습니다.
- E는 D와 가장 멀리 떨어져 있습니다.
- F의 오른쪽에는 2명 있고, 위에는 1명 있습니다.
- B 바로 아래에 C가 있습니다.

D	B	A
F	C	E

첫 번째, 두 번째 조건에서

D		
	E	

세 번째 조건에서

D		E
F		

첫 번째, 네 번째 조건에서

D	B	A
F	C	E

❷

- A와 D는 떨어져 있습니다.
- E와 F 사이에는 C만 있습니다.
- F는 A의 바로 오른쪽에 있습니다.

두 번째, 세 번째 조건에서   첫 번째 조건에서

❸

- 가로줄로 B는 E와 F 사이에 있습니다.
- A는 E와 B 위에 있고, C 아래에 있습니다.
- F는 가장 왼쪽에 있습니다.

첫 번째, 세 번째 조건에서

F	B	E

두 번째 조건에서

	C	
D	A	E
F	B	E

DAY 4
순서 정하기

✎ A, B, C, D, E, F 6명이 있습니다. 조건에 맞게 □ 안에 이름을 써넣으세요.

첫 번째, 두 번째 조건에 모두 있는 F를 기준으로 순서를 정해 봐.

<키가 큰 순서>

크다 [C] [D] [F] [A] [B] [E] 작다

- A는 B보다 크지만 F보다 작습니다.   F>A>B
- C는 D보다 크고, D는 F보다 큽니다.   C>D>F
- E는 B보다 작습니다.   B>E

①
- A는 B보다 나이가 어리고, C보다 나이가 많습니다.   B>A>C
- C는 E보다 살 많은 친어납니다.   C>E
- F는 세 번째로 나이가 많습니다.
- D는 고등학생이고, B는 중학생입니다.   D>B

<나이 순서>

많다 [D] [B] [F] [A] [C] [E] 적다

세 번째 조건에 의하여 F를 세 번째에 씁니다.

②
- A는 D보다 수학 점수가 높습니다.   A>D
- B의 수학 점수는 F보다 높지만 C보다 낮습니다.   C>B>F
- 수학 점수가 A는 90점, F는 92점입니다.   F>A
- E 혼자 수학 점수를 만점 받았습니다.

<수학 점수 순서>

높다 [E] [C] [B] [F] [A] [D] 낮다

네 번째 조건에 의하여 E를 가장 왼쪽에 씁니다.

③
- E는 F보다 일찍 도착했습니다.   E>F
- D는 F보다 늦게 도착했지만 A보다 일찍 도착했습니다.   F>D>A
- D보다 일찍 도착한 사람은 3명이고, B가 가장 늦게 도착했습니다.
- E는 가장 먼저 도착하지 않았습니다.

<도착 순서>

일찍 [C] [E] [F] [D] [A] [B] 늦게

세 번째 조건에 의하여 D를 네 번째, B를 가장 오른쪽에 씁니다.

4주차 연역 추리

DAY 5 단서 보고 찾아보기

✎ A, B, C, D, E 5명이 있습니다. 조건에 맞게 표를 완성하세요.

①

- 5명이 태어난 달은 4, 7, 8, 10, 12월 중 서로 다른 달입니다.
- A는 짝수 달에 태어나지 않았습니다.
- C가 태어난 달은 3으로 나누어떨어집니다.
- E는 생일이 B보다 빠르지만 D보다 느립니다.

태어난 달	4월	7월	8월	10월	12월
이름	D	A	E	B	C

두 번째, 세 번째 조건에서 A는 7월, C는 12월입니다.
네 번째 조건에서 D, E, B의 순서로 생일이 빠릅니다.

말풍선: 확실하게 알 수 있는 것부터 구하도록 해.

②

- 5명의 몸무게는 27 kg, 28 kg, 31 kg, 34 kg, 38 kg 중 서로 다른 하나입니다.
- A와 C의 몸무게의 일의 자리 숫자는 8입니다.
- C와 D의 몸무게 차이는 1 kg입니다.
- E의 몸무게는 짝수입니다.

몸무게	27 kg	28 kg	31 kg	34 kg	38 kg
이름	D	C	B	E	A

두 번째, 세 번째 조건에서 A, C, D의 몸무게를 알 수 있습니다.

---

pensées

②

- 5명의 등번호는 9, 10, 12, 17, 22 중 서로 다른 하나입니다.
- D의 등번호는 4로 나누었을 때 나머지가 2인 수입니다.
- A의 등번호는 일의 자리 숫자와 십의 자리 숫자가 같은 수입니다.
- B의 등번호는 짝수입니다.
- C의 등번호는 E의 등번호보다 작은 수입니다.

등번호	9	10	12	17	22
이름	C	D	B	E	A

두 번째, 세 번째, 네 번째 조건에서 A, B, D의 등번호를 알 수 있습니다.

③

- 5명의 공 던지기 기록은 24 m, 26 m, 31 m, 34 m, 36 m입니다.
- E는 A보다 5 m 더 멀리 던졌습니다.
- C의 기록의 십의 자리 숫자와 일의 자리 숫자의 합은 8입니다.
- B의 기록은 2로 나누어도, 3으로 나누어도 나누어떨어집니다.

기록	24 m	26 m	31 m	34 m	36 m
이름	B	C	A	D	E

세 번째 조건에서 C의 기록을 알 수 있고, 두 번째 조건에서 A, E의 기록을 알 수 있습니다.

확인학습

4주차

A, B, C, D, E, F 6명이 있습니다. 몸무게가 무거운 순서대로 □ 안에 이름을 써넣으세요.

①

- A는 B보다 무겁고, B는 C보다 무겁습니다.
- D는 C보다 가볍지만 E보다 무겁습니다.
- F는 A보다 무겁습니다.

A > B > C
C > D > E
F > A

<몸무게가 무거운 순서>

무거운 [F] [A] [B] [C] [D] [E] 가벼운

A, B, C, D, E 5명이 있습니다. 5명의 키는 138 cm, 141 cm, 143 cm, 151 cm, 153 cm 중 서로 다른 하나입니다. 조건에 맞게 표를 완성하세요.

②

- A와 C의 키에는 숫자 4가 들어갑니다.
- C와 D의 키 차이는 8 cm입니다.
- E의 키는 짝수입니다.

키	138 cm	141 cm	143 cm	151 cm	153 cm
이름	E	A	C	D	B

첫 번째, 두 번째 조건에서 A, C, D의 키를 알 수 있습니다.

TEST 1
마무리 평가

❖ 스네이크 퍼즐을 풀어 보세요. 색칠된 두 칸은 시작칸과 끝칸입니다.

> **규칙**
> • 각 가로줄과 세로줄에 적힌 수만큼 칸이 색칠되어 있습니다.
> • 길이 갈라지거나 끊어짐 없이 연결되어야 합니다.

❶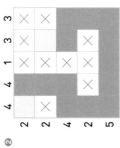

❷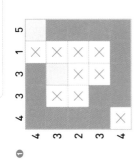

❖ 1, 2, 3, 4, 5가 하나씩 포함되도록 선을 따라 5칸씩 묶어 보세요.

❸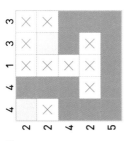

❹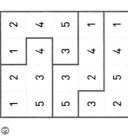

❖ 같은 문자는 같은 숫자, 다른 문자는 다른 숫자를 나타냅니다. 각 문자가 나타내는 숫자를 구하세요.

❺
$$\begin{array}{r} A\,B \\ \times\quad B \\ \hline 1\,A\,B \end{array}$$

A: $\boxed{2}$, B: $\boxed{5}$

B가 될 수 있는 수는 1, 5, 6인데 계산 결과에 맞은 것은 B = 5

❻
$$\begin{array}{r} A\,A \\ \times\quad A \\ \hline B\,A\,1 \end{array}$$

A: $\boxed{9}$, B: $\boxed{8}$

A가 될 수 있는 수는 1, 9인데 계산 결과가 세 자리 수이므로 A = 9

❖ A, B, C는 농구, 축구, 야구 중 서로 다른 하나를 좋아합니다. 좋아하는 것에 ○표, 좋아하지 않는 것에 ×표 하고, 좋아하는 것을 각각 구하세요.

❼
> • A는 축구를 좋아하는 사람과 같은 팀은 받입니다.
> • C는 농구를 잘하지 못해서 좋아하지 않습니다.
> • C는 축구를 좋아하는 사람보다 나이가 많이가 않습니다.

<좋아하는 운동>

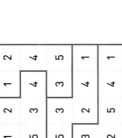

이름\운동	농구	축구	야구
A	○	×	×
B	×	○	×
C	×	×	○

A: 농구

B: 축구

C: 야구

TEST 2

마무리 평가

❖ 노노그램 퍼즐을 풀어 보세요.

규칙
• 각 가로줄과 세로줄에 적힌 수만큼 칸이 색칠되어 있습니다.
• 수만큼 연속으로 색칠해야 합니다.

①

②

❸ ○ 안의 수는 그 줄에 놓인 수 중 가장 큰 수를 나타낸 것입니다. 빈칸에 1부터 9까지의 수가 한 번씩 오도록 모두 써넣으세요.

❖ 같은 문자는 같은 숫자, 다른 문자는 다른 숫자를 나타냅니다. 각 문자가 나타내는 숫자를 구하세요.

⑤

```
  A A
+   B
-----
  B 5
```

A: 7 , B: 8

십의 자리에서 A+1=B입니다. 일의 자리에서 받아올림이 있으므로
A=7, B=8

⑥

```
  A A
+ B B
-----
A A C
```

A: 1 , B: 9 , C: 0

계산 결과의 백의 자리는 10이므로
A=1

❖ A, B, C, D, E, F의 위치는 다음 여섯 개 자리 중 하나입니다. 위치에 맞게 □ 안에 이름을 써넣으세요.

❼

• B의 바로 아래에 D가 있습니다.
• A는 F와 가장 멀리 떨어져 있습니다.
• E의 바로 왼쪽에 D가 있습니다.
• C의 바로 아래에 F가 있습니다.

첫 번째, 두 번째 조건에서 B, D는 가운데에 있습니다.

	B	
	D	

세 번째, 네 번째 조건에서

C	B	
F	D	E

C	B	A
F	D	E

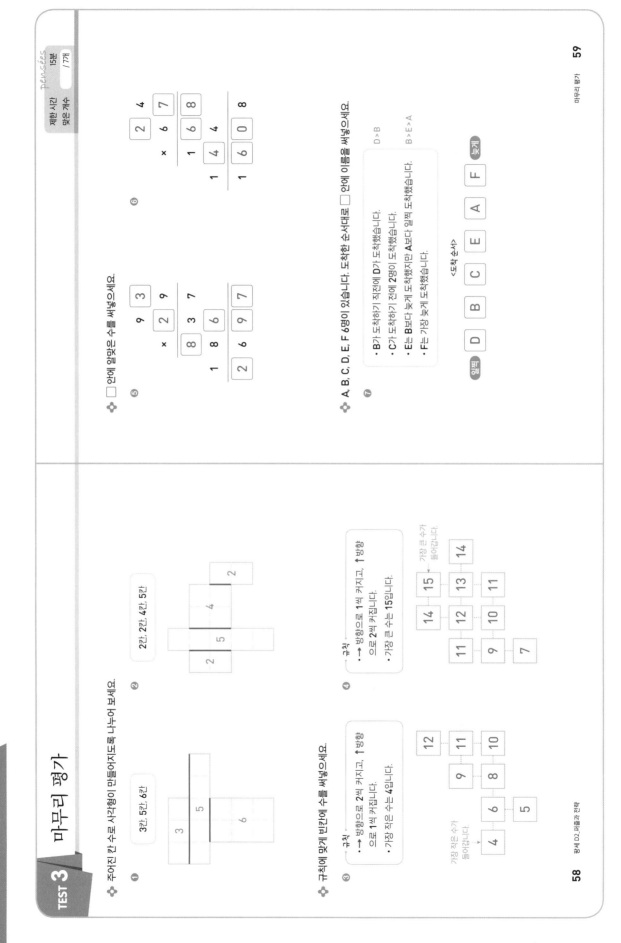

TEST 3

마무리 평가

❖ 주어진 칸 수로 사각형이 만들어지도록 나누어 보세요.

① 3칸, 5칸, 6칸

	5	
3		6

② 2칸, 2칸, 4칸, 5칸

| 2 | 4 | |
| 2 | 5 | 2 |

❖ 규칙에 맞게 빈칸에 수를 써넣으세요.

③

규칙
→ 방향으로 2씩 커지고, ↑방향
으로 1씩 커집니다.
· 가장 작은 수는 4입니다.

가장 작은 수가
들어갑니다

		12
9		11
6	8	10
4		5

④

규칙
→ 방향으로 1씩 커지고, ↑방향
으로 2씩 커집니다.
· 가장 큰 수는 15입니다.

가장 큰 수가
들어갑니다

14	15	
12	13	14
9	10	11
11		7

❖ ☐ 안에 알맞은 수를 써넣으세요.

⑤

		9	3
	×	2	9
	8	3	7
1	8	6	
2	6	9	7

⑥

			2	4
		×	6	7
	1	6	8	
1	4	4		
1	6	0	8	

❖ A, B, C, D, E, F 6명이 있습니다. 도착한 순서대로 ☐ 안에 이름을 써넣으세요.

⑦

일찍
· B가 도착하기 직전에 D가 도착했습니다.
· C가 도착하기 전에 2명이 도착했습니다.
· E는 B보다 늦게 도착했지만 A보다 일찍 도착했습니다.   D > B
· F는 가장 늦게 도착했습니다.   B > E > A

<도착 순서>

일찍 [D] [B] [C] [E] [A] [F] 늦게

TEST 4
마무리 평가

❖ 시카쿠 퍼즐을 풀어 보세요.

규칙
• 적힌 수의 칸만큼 사각형을 그립니다.
• 칸이 남거나 겹치지 않아야 합니다.

①

②

❖ 가로줄, 세로줄, 굵은 선으로 묶인 칸에 1부터 4까지의 수가 한 번씩 들어가도록 스도쿠 퍼즐을 풀어 보세요.

③

④

❖ 같은 문자는 같은 숫자, 다른 문자는 다른 숫자를 나타냅니다. 각 문자가 나타내는 숫자를 구하세요.

⑤

```
    A
+ A A
-----
  B 2
```

A: 4 , B: 5

① 일의 자리 계산에서 A=4
② 십의 자리 계산에서 1+A=B이므로 B=5

⑥

```
    A B
    A B
+ A B
-----
  C C 1
```

A: 3 , B: 7 , C: 1

① 일의 자리 계산에서 B=7
② C가 될 수 있는 수는 1 또는 2인데 221은 3으로 나누어떨어지지 않으므로 C=1

❖ A, B, C, D는 빨간색, 파란색, 초록색, 검은색 중 서로 다른 색을 각각 좋아합니다. 표를 직접 만들어 보고, 좋아하는 것을 각각 구하세요.

⑦
• A는 파란색, 검은색을 좋아하는 사람과 같이 공원에 갔습니다.
• C는 빨간색과 검은색 중 하나를 좋아합니다.
• D는 초록색을 좋아합니다.

<좋아하는 색깔>

이름＼색깔	빨간색	파란색	초록색	검은색
A	○	X	X	X
B	X	○	X	X
C	X	X	X	○
D	X	X	○	X

A: 빨간색
B: 파란색
C: 검은색
D: 초록색

TEST 5

마무리 평가

pensées
제한 시간 15분
맞은 개수 /7개

❖ 펜스 퍼즐을 풀어 보세요.

규칙
• 수는 그 칸을 둘러싼 선의 개수입니다.
• 선은 떨어지지 않으며 하나의 도형이 만들어져야 합니다.

❶

3	1	3
3	2	2
3	2	1

❷

	2	
2	3	2
3	0	3
2	3	2
	2	

❸ 가로줄, 세로줄, 굵은 선으로 묶인 칸에 1부터 5까지의 수가 한 번씩 들어가도록 스도쿠 퍼즐을 풀어 보세요.

1	5	2	4	3
4	3	5	1	2
3	1	4	2	5
5	2	1	3	4
2	4	3	5	1

❹

5	2	1	4	3
4	1	3	2	5
1	3	2	5	4
2	4	5	3	1
3	5	4	1	2

❺ ☐ 안에 알맞은 수를 써넣으세요.

		7	6
6)	4	5	6
	4	2	
		3	6
		3	6
			0

❻

		3	4
8)	2	7	2
	2	4	
		3	2
		3	2
			0

❼ A, B, C, D, E 5명이 있습니다. 5명이 멀리뛰기 기록은 150 cm, 160 cm, 175 cm, 180 cm, 200 cm 중 서로 다른 하나입니다. 조건에 맞게 표를 완성하세요.

• A는 B, C보다 멀리 뛰었지만 D는 E보다 멀리 뛰었습니다.
• C와 D의 기록 차이는 30 cm입니다.

기록	150 cm	160 cm	175 cm	180 cm	200 cm
이름	D	E	A	C	B

첫 번째 조건에서 A의 기록은 175 cm입니다.
첫 번째 조건에서, 두 번째 조건에서
D의 기록은 150 cm, C의 기록은 180 cm입니다.

pensées

pensées

사고가 자라는 수학
씨투엠에듀 교재 로드맵

*일부 교재 출시 예정입니다.

대상	사고력	도형	연산	서술형	영재교육원 대비
	사고력수학의 시작 **팡세**	하루 10분 도형 학습지 **플라토**	상위권으로 가는 연산 학습지 **응용연산**	하루 10분 서술형/문장제 학습지 **수학독해**	영재교육원 관찰추천 사고력 수학 **필즈수학**
6세	팡세 S1 S1 패턴 S2 퍼즐과 전략 S3 유추 S4 카운팅	플라토 S1 S1 평면규칙 S2 도형조작 S3 입체설계 S4 공간지각	응용연산 S1 S1 10까지의 수 S2 20까지의 수 S3 한 자리 수 덧셈 S4 덧셈과 뺄셈	수학독해 S1 S1 9까지의 수 S2 방향과 위치 S3 더하기와 빼기 S4 속성 분류	
7세	팡세 P1 P1 패턴 P2 퍼즐과 전략 P3 유추 P4 카운팅	플라토 P1 P1 평면규칙 P2 도형조작 P3 입체설계 P4 공간지각	응용연산 P1 P1 50까지의 수 P2 100까지의 수 P3 덧셈과 뺄셈(1) P4 덧셈과 뺄셈(2)	수학독해 P1 P1 20까지의 수 P2 비교하기 P3 덧셈과 뺄셈 P4 모양과 규칙	
초1	팡세 A1 A1 패턴 A2 퍼즐과 전략 A3 유추 A4 카운팅	플라토 A1 A1 평면규칙 A2 도형조작 A3 입체설계 A4 공간지각	응용연산 A1 A1 한 자리 수 덧셈 A2 (십몇)-(몇) A3 덧셈과 뺄셈(1) A4 덧셈과 뺄셈(2)	수학독해 A1 A1 100까지의 수 A2 덧셈과 뺄셈 I A3 시계와 규칙 A4 덧셈과 뺄셈 II	
초2	팡세 B1 B1 패턴 B2 퍼즐과 전략 B3 유추 B4 카운팅	플라토 B1 B1 평면규칙 B2 도형조작 B3 입체설계 B4 공간지각	응용연산 B1 B1 곱셈구구 B2 나눗셈구구 B3 덧셈과 뺄셈 B4 곱셈과 나눗셈	수학독해 B1 B1 네 자리 수 B2 덧셈과 뺄셈 B3 곱셈구구 B4 길이와 시간	
초3	팡세 C1 C1 패턴 C2 퍼즐과 전략 C3 유추 C4 카운팅	플라토 C1 C1 평면규칙 C2 도형조작 C3 입체설계 C4 공간지각	응용연산 C1 C1 분수와 소수 C2 여러 가지 분수 C3 곱셈과 나눗셈 C4 큰 수의 계산	수학독해 C1 C1 덧셈과 뺄셈 C2 곱셈과 나눗셈 C3 측정 단위 C4 분수와 소수	필즈 입문 상 필즈 입문 중 필즈 입문 하
초4	팡세 D1 D1 패턴 D2 퍼즐과 전략 D3 유추 D4 카운팅	플라토 D1 D1 평면규칙 D2 도형조작 D3 입체설계 D4 공간지각	응용연산 D1 D1 분수 덧셈·뺄셈 D2 소수 덧셈·뺄셈 D3 혼합 계산 D4 약수와 배수	수학독해 D1 D1 자연수 D2 평면도형 D3 분수와 소수 D4 통계와 규칙	필즈수학 초급 상 필즈수학 초급 하
초5	팡세 출시 예정 E1 E1 패턴 E2 퍼즐과 전략 E3 유추 E4 카운팅	플라토 E1 E1 평면규칙 E2 도형조작 E3 입체설계 E4 공간지각	응용연산 E1 E1 분수 덧셈·뺄셈 E2 분수의 곱셈 E3 분수의 나눗셈 E4 분수·소수 혼합	출시 예정 E1권 E2권 E3권 E4권	필즈수학 중급 상 필즈수학 중급 하
초6	팡세 출시 예정 F1 F1 패턴 F2 퍼즐과 전략 F3 유추 F4 카운팅	플라토 F1 F1 평면규칙 F2 도형조작 F3 입체설계 F4 공간지각		출시 예정 F1권 F2권 F3권 F4권	필즈수학 고급 상 필즈수학 고급 하

Man is but a reed,
the most feeble thing in nature;
but he is a thinking reed,

"인간은 자연에서 가장 연약한 갈대에 불과하다.
하지만 인간은 생각하는 갈대이다."

Blaise Pascal, 블레즈 파스칼

초등 수학 교구 상자

펜토미노턴

평면 공간감각을 길러주는 회전 펜토미노 퍼즐

초등학생들이 어려워하는 '평면도형의 이동'을 펜토미노와 패턴블록으로 도형을 직접 돌려 보며 재미있게 해결하는 공간감각 퍼즐입니다.

큐브빌드

입체 공간감각을 길러주는 멀티큐브 퍼즐

머릿속으로 그리기 어려운 입체도형을 쌓기나무와 멀티큐브를 이용하여 직접 만들어 위, 앞, 옆 모양을 관찰하고, 다양한 입체 모양을 만드는 공간감각 퍼즐입니다.

폴리탄

도형 감각을 길러주는 입체 칠교 퍼즐

정사각형을 7조각으로 자른 '입체 칠교'와 직각이등변삼각형을 붙인 '입체 볼로'를 활용하여 평면뿐만 아니라 다양한 입체도형 문제를 해결하는 퍼즐입니다.

트랜스넘버

자유자재로 식을 만드는 멀티 숫자 퍼즐

자유자재로 식을 만들고 이를 변형, 응용하는 활동을 통해 연산 원리와 연산감각을 길러주는 멀티 숫자 퍼즐입니다.

머긴스빙고

수 감각을 길러주는 창의 연산 보드 게임

빙고 게임과 머긴스 게임을 활용하여 수 감각과 연산 능력을 끌어올리고 전략적 사고를 키우는 사고력 보드 게임입니다.

폴리스퀘어

공간감각을 길러주는 입체 폴리오미노 보드 게임

모노미노부터 펜토미노까지의 폴리오미노를 이용하여 다양한 모양을 만들어 보고, 여러 가지 땅따먹기 게임 등을 통해 공간감각을 기를 수 있는 보드 게임입니다.

큐보이드

입체를 펼치고 접는 전개도 퍼즐

여러 가지 모양의 면을 자유롭게 연결하여 접었다 펼치는 활동을 통해 정육면체, 직육면체 전개도의 모든 것을 알아보는 전개도 퍼즐입니다.